新装版

民度革命のすすめ

紺野大介

フォルドリバー

プロローグ

まえがき

本書は月刊誌『選択』に『あるコスモポリタンの憂国』と題して２００７年２月から２０１１年３月までの足かけ５年、合計50回連載された論説・随筆の連載をまとめたものである。

３万人のための情報誌と副題される硬派のこのジャーナルは、我国の一般の知識人、霞が関の官僚、上場企業等の経営者や上級管理職、地方自治体のトップや幹部、大学や研究所などアカデミアの学者や科学技術者、一定水準をクリアしている国会議員などハイエンド層を対象としているそうである。これらの読者に対し、40年間で約60カ国以上回ってきた世界各地における体験談などを中心に「日本とはいかなる国か」「どう見られているか」、世界観や我国への示唆など含め披露して欲しい――との要請が『選択』出版編集長である恵志泰成氏からあった。２００６年秋のことである。

今は専門も何もないけれども、もともと大学で流体力学や流体工学を学んだ理工系の、いわゆる自然科学系の人間であり、社会科学系のジャーナルなど専門外であり辞退した。しかし自然科学に携わる者が、社会や人文科学の世界の出来事や日常性を見る時どう見えるのか？――

等々の会話に巻き込まれ、誘導され、ついに執筆という生き恥を晒す場に登壇することになったのである。初回掲載時の氏による巻末の編集後記を参考までに記す。

> 紺野大介氏のオフィスを訪ねたのは弊社編集部に入った直後だった。〝中国の至宝〟清華大学の教授であり、中国共産党首脳と自在に面談が叶う屈指の日本人だが、偉ぶる風はない。できたての『啓発録』をもらい橋本左内の話をした。時間があっという間に過ぎた。紺野氏は多忙を極め、時間を奪うのは犯罪のように感じる。なにしろ創業支援推進機構理事長であり、東京と北京を行き来しながら、日中科学技術交流協会常務理事をはじめ、おびただしい役割をこなす。捻出してもらった時間に会話を重ねていくうちに、新連載『あるコスモポリタンの憂国』の構想が生まれた。（『選択』編集長・恵志泰成）

1970年前後の旧ソ連、フルシチョフからブレジネフへの政変・政権移行期にモスクワ大学に短期に遊学して以来、海外から見た日本の投影が国内と著しく異なり、以降もメーカーで設計・生産・研究・開発の仕事や、学界における国際会議等で外国出張の機会に恵まれた。この時代、まだまだ海外へ行くことが一般化されておらず、欧米などの場合「箔を付けて帰ってきた」――といった言葉が真面目に生きていた。

そんな時代から今日まで、社会生活の最初は『荏原』という遠心・軸流ポンプ、コンプレッサ、ガスタービンなど国内最大のターボ機械を製作する重厚長大型企業、次に招請により世界ブランドの「時計」で知られ、半導体も扱う当時のセイコーグループの中核会社『セイコー電子工業』といった軽薄短小型企業で、事業部長や研究開発本部長、取締役CTOなど企業戦士として世界各地を巡ってきた。目的は外国企業から国家プロジェクト折衝まで含み、時にクレーム処理、時に設計打ち合わせ、時に契約調印、時にテープカット等々。失敗の連続であったけれど、これらは「モノ造り」メーカーの業務である。振り返れば、駆け出し時は作業服、ヘルメット、軍手、鉄板入り作業靴を身につけ、生産現場で油まみれになった。当時の班長や親方に叱咤されながら「モノ造り」の勘所や要諦を教えて戴き、自己の血肉となったことは大きい。高い意味で「学歴などで仕事ができるものではない」ことを身体に刻み込んだ。また暫く後、縁あって兼任ながら中国の最高学府・清華大学に教授として招聘され、国家要人や政府要人などと面識ができた。

その後両メーカーによるマクロからナノテクまでモノ造りの体験を活かし、同じコンセプトで他者の役に立ちたいとする上等な国士達の協力を得、「世界一のモノ造り大国」の新しい形の復活を民間力で蘇生させる目的で、2000年から創業支援推進機構（略称ETT）と名付けた公益的シンクタンクを創設したのである。ETTの主旨に賛同戴いた飛耳長目《ひじちょうもく》の方々は、この10年間でスタート時の85名から現在1150名にもなった。管見《かんけん》にすぎないが、彼らは私の面識のある国会議員、派閥の棟梁、財界のお歴々や官僚の多くより遥かに志操高く、謙虚であり、実力があり、国の行く末を案じ、奉仕精神が横溢した〝公僕〟である。こうした日本の宝ともいうべき第一級の科学者・技術者・工学者・事業者のポテンシャルを国際競争力の蘇生活動に活かしてきたつもりである。それが心ある何名かの大企業経営者に届き、陰陽に支援を戴いた。惚れ惚れするような剛毅木訥《ごうきぼくとつ》たる御仁が我国にいることに心胆から感謝している。本書はこうした40年の世界各地の見聞や箴言に関する紹介の一部である。ETTが創設された2000年から2010年までの10年間だけでも、パスポート出国スタンプ数は約140回にものぼり、現在でもそうした生活が続いている。

この過程の中、海外で何度か恥をかいた経験から、日本の歴史を学ぶ必要性を感じたのである。その経緯は第1章最初の『日本人の民度革命』に記したので、ページをめくって戴けたら幸甚である。本業の余技であるが、1985年頃から週末に東京から福井まで出かけ、25歳で斬刑に処せられた幕末の英傑・橋本左内《はしもとさない》について学ぶため、福井郷土歴史博物館、県立及び市立図書館に通った。学芸員の方に古文書の読み方を習い、調査研究を行い、橋本左内に関する書籍の殆どを原文も含め読破し、弱冠15歳時の著作『啓発録』を英完訳し自費で製本化。それを海外の主要大学等に寄贈した。自然科学とは対極の人文科学領域だが、これが思いもかけず海外でかなりの反響を得、欧米の大学等からキャビンクラスの航空券付で講演要請されるようになったのである。

従って最初の『日本人の民度革命』が本書の支柱である。即ちこれを木の幹に譬えれば、他の論説はそれぞれが大枝であり、小枝であり、葉であり、やがては養土となる落ち葉でもある。ともかく、すべて余技なので原稿執筆の大半が国際線の機内、通勤の電車内がそのまま書斎となった。人間開き直って志を強くし、高めれば、時間はその気になれば幾らでも引き出せるものであることを深く学んだ。

2011年3月11日、東日本大震災と巨大津波の発生、それに連動した東京電力福島原子力発電所のメルトダウン大事故と放射線災害が起き、いわば太平洋戦争以降の最大の国難に遭遇している。しかしこうした国難以前から、日本の現状を概観すれば、社会の活力維持に大きな懸念を与えている人口減少と少子高齢化。人件費や税負担の企業環境悪化で、止む無く新興国へ生産拠点シフト化することで生じる日本の産業の空洞化、即ち中国他に投資し日本には戻ってこないマネーが240兆円。日本駐在海外特派員の非常なる減少と国際的プレゼンスの低下、即ち世界の日本への関心の著しい低下。またGDP比181％にあたる約870兆円もの国債・地方公債残高を抱え、単年度においても国の税収が、国債発行高を下回る異常な財政悪化と信用力の低下。生活保護世帯の増加と共に、働いても生活維持が困難な「ワーキングプア」出現や、日本人の内向き志向とリスク回避志向等々。

一体このエートスは何処から来るのか？　誰がこのような国にしたのか？——といった客観的な環境がある。ここには国家を率い、国民を導く政治リーダーが我国に存在していないことを証明しており、そうしたリーダーを国民も選出できていない現状にある。取りも直さず国民全体の民度が限りなく低落した結果といえるだろう。

我国が世界から敬意を払われ、若者達が目を輝かせ夢を持つことができる国にするためには、政治でも企業でも大学でもリーダーたるものビジョンを掲げることが極めて大切である。最近の一例だが、中国の辛亥革命時に創立された清華大学は、２０１１年春、北京の人民大会堂（日本の国会議事堂）で創設百周年記念式典を開催した。その後のある懇親会で、清華大学長に「次の１００年後には清華大学はどのような大学になっていると思いますか」の質問があった。すると彼は「１００年後にはアメリカの大統領やイギリスの首相の殆どが清華大学出身者になるでしょう」――（ウォーといった声にならない声！）。

米中の教育事情を知悉《ちしつ》し、こうしたビジョンが違和感なく概ね分かれば、かなりのコスモポリタンなのかもしれない。翌日の北京～東京間フライト機内で帰途偶然隣り合わさった米国のR・アーミテージ元国務副長官とこの話題に花が咲いたのである。ここにはケネディ大統領が「１９６０年代に人間を月に到着させる」――としてアポロ計画を発表し、世界を唖然とさせ、事実全米一体となって達成させたビジョンと共通のものが読み取れる。

一方、我国では『コスモポリタンの憂国』を連載したこの5年間で5人もの首相が入れ替わり、どの首相も金太郎飴のような政策（？）発表を繰り返している。我国に「50年後の日本をどうしたいのか？」の質問にキチンと答えられ、ビジョンを示すことができる国会議員がいるであろうか？　官僚も、財界も、皆この国の土台を作り直すことから逃げていないだろうか？これでは永久に一等国にはなれないだろう。この周辺については『日本村、大字日本、字日本』

でも言及した。他方で誤解を恐れずにいえば、高い民意を醸成し影響を与えうる立場にあるTVや新聞などマスメディア自体の民度の低さも、政治不在と同等の責任を有すると思われる。産業界は否応なく海外の価値基準のフィルターにかけられる。しかし管見によれば、我国メディア界には日本語の深い意味を十分に理解し、内外へ発信できる外国人スタッフは殆どおらず、フィルター機能がなく、競争原理が作用していない。我国マスメディアは「日本語の特殊性」に保護され、世界の当たり前が日本の当たり前にならず、外国から指弾されない特異的未熟地帯となっている感を強くする。その上メディアの大半に高い見識がなく、従って尊大でもあり、しばしば事実まで捻じ曲げ報道することが多い。昨今のジャーナリズムの深刻な課題については『北海油田で聴いた「大地の歌」』『ノーベル賞以上の人』等でも触れた。

プロローグの最後となったが、科学技術を生業《なりわい》とする筆者が、我国の政治の無策やメディア問題等について言及すること、そのことが不謹慎であることを私は知っている。不謹慎と知りつつこれらについて書く。少なくとも海外から見て問題を言及し考察する。このことが既に自己撞着《どうちゃく》である。この方面の大家の寛恕《かんじょ》と読者の憫察《びんさつ》を請うほか致し方がない。また言うまでもなく私は「政治のあるべき姿」や「社会のあるべき姿」について専門ではなく、皆目無知なので、そのこと自体を深く言及することは厳しく自分を控えさせて筆を進めてきたつもりでいる。

本書は「日本人とは海外から見てどのような種族か」「どうしたら若者に夢を与える国家にすることができるか」――について問題意識のある方々、この国に風穴を開けたいと思念している方々、民度革命を模索している方々、又そうした志ある方の振る舞い自体に関心を持っている方々に手に取って戴き、好きな所から読んで戴ければ嬉しく、そのことで我国の民度の高まりの一助となれば望外の幸せである。

最後に本書は『選択』に掲載された論説の紙数制限などの為、意を尽くせぬ幾つかの箇所について若干加筆修正し、タイトルも『民度革命のすすめ』と改題し上梓したものである。

紺野大介

新装版

民度革命のすすめ

もくじ

第7章 ニッポンの長短を海外から診る——241

装丁■**渡川光二**
企画・プロデュース■**山崎英樹**
制作■**フォルドリバー**

第1章 ◎ 幕末の日本人を想う

No.1

日本人の民度革命

『選択』1　2007年2月

海外へ度々行き、外国人との交際も深まり、見識ある方々の自宅に招かれると、「日本とはどのようなお国か？」と聞かれることがしばしばあった。或いは「何を大切に生きているのか？」といった会話も交わされる。そして私の経験によれば、人物になるほど自国の歴史や文化を深く認識しており、歴史の「光と影」を清濁あわせ呑み、誇りを持って説明する。歴史ある中国、ヨーロッパの国々も、歴史のあまりない米国においても。

振り返って我々日本人はどうであろうか？　私は専門とする自然科学や趣味の話はできても、わが国の文化や歴史を充分に説明できなかった。というより外国人に対し日本という国家を「誇り」を持って説明できなかった――という方が正しい。それに我々の世代は日本という国に対し「誇り」を持てるような歴史教育を受けてきたであろうか。

こうした懐疑と自省から理系に進んだ私も、遅ればせながら自国の歴史を知りたいと思うようになった。本業が繁忙でも、その気さえあればひとつの事柄、ひとりの人物を深く知覚することで、その時代や価値観といったものはかなり詳細に理解できる。私の場合、過去帳も半焼け状態で定かではないのだが、母方の実家の祖母から遠戚関係にあるらしいことを聞かされていた幕末の英傑・橋本左内を研究した。その理由は左内が近世日本を代表する傑出した政治家であったと思われることにある。そして具体的な形として１９８５年から約10年かけ左内15歳時の著作『啓発録』英訳と取り組んだのである。

橋本左内は歴史教科書には「安政の大獄」で斬刑に処せられたとき僅かに名前が出てくる程度で他に記述がない。しかし生前、西郷隆盛が「吾、先輩において藤田東湖《ふじたとうこ》に服し、同輩において橋本左内に服す」と語り、二者の才学器識、自分の及ぶところひとつもなしと言わしめた圧倒的な人物。西郷が西南戦争で城山で自決した際、和服の中から7歳年下の橋本左内からの書状2通を後生大事に所持していた、知る人ぞ知る逸話もある。

また処刑直後、川路聖謨《かわじとしあきら》、岩瀬忠震《いわせただなり》と並ぶ幕末の三賢奉行のひとり・酒井忠徳《さかいただあり》が「井伊大老が橋本左内を殺したるの一事をもって徳川幕府を滅ぼすに足れり」と言わしめたほどの傑物。また吉田松陰の弟子であった伊藤博文は、壮烈な最期をとげた橋本左内に対し墓碑に詩幅をささげ敬慕し、終生「左内先生の後学」と称した。更に『近世日本国民史』全百巻の大著を完成し

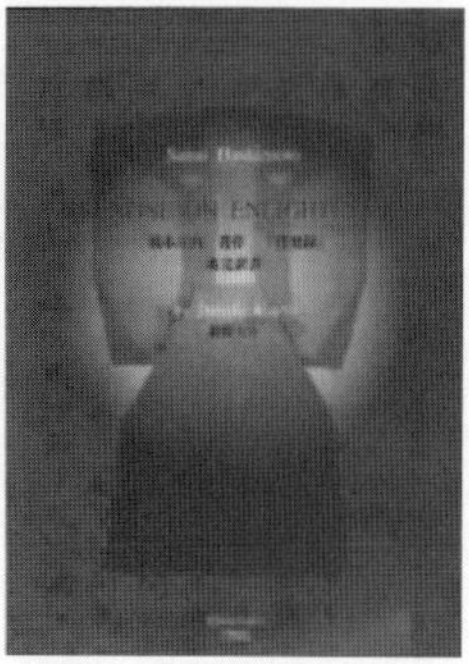
橋本左内著作『啓発録』英完訳書（錦正社）

た徳富蘇峰は「橋本左内は日本が生んだ不世出の英傑であり500年か1000年に一度出るか出ないかの人物」と評したほどの逸材なのだ。英傑なるが故、藩主の命で若くして政治の表舞台に出、25歳の若さで藩主松平春嶽《まつだいらしゅんがく》公の身代わりとなり刑場の露と消えたのである。

『啓発録』を読むと、その内容の濃さに先ず感銘し、15歳の書と知って驚愕するであろう。安易に流れやすい生活に対し、生きているのが恥ずかしくなる程の示唆が与えられる。一例だが「立志」の「世の大半の人が何事も成し得ず生涯を終わるのは志が逞しくないためである」等自己を厳しく律している人でさえ、適度な緊張感を獲得できるであろう。これらの雰囲気が醸し出す、名状しがたいような崇高さが心の奥で深化する。

*

余技で遅々として進まなかったけれども、これを原典から読み込み英訳、和綴じ私家製本化し欧米中国などの主要大学図書館に寄贈した。予想だにしなかったが米国クリントン大統領や英国ケンブリッジ大学総長らから感謝状を戴いた。大統領は橋本左内の存在を知らなかった模様で、左内の生き方と人物に対し〝当時の志操高い日本〟に感嘆した旨ビル・クリントンのサイン共々したためられていた。〝当時の……〟といった連体詞が痛く残り記憶している。

また海外で『啓発録』や侍・橋本左内の話を少し披露するだけで、外国人の多くが日本人の生き方や価値観を認識し、誠実さや徳高さに驚き、潔さに敬服し、美意識に尊敬の念を表す。いわゆる人間の〝民度〟が限りなく高いことへの羨望が感じられる。シリコンバレーでもロンドン大学や北京大学でもそうであった。シリコンバレーでは「他者のために身代わりとなり黙して死ぬことへのキリスト教精神との共通性」、ロンドン大学では左内斬死の瞬間の話に息をのみながらも聴講者から「左内先生がもし生きて初代総理になっていたら日本はもう少し違った国家になっていたのでは?」、北京大学では「こんなに大人物、何故日本の教科書に出ていないのか? 次世代の子供達に何故このような偉人の話を伝えないのか」——といった直訴に近い雰囲気で、それぞれに重く響くものであった。

国家のために非命に葬られた優れた志士達に、日本人より外国人の方が目頭を熱くする。そうした光景を見ていると幕末維新という時代の沸騰点が、国を超えていかに大きく人を感動させ得るかが判る。申すまでもなく、橋本左内が生きた時代、日本人には「誇り」があり「恥」を知っており「名」が汚れることを畏れる風土があった。

＊

しかしながら今日の日本を鳥瞰すると如何であろう。政治も経済も教育も深い混迷にあり、解決の本質を見出せないでいるといって過言でない。誤解を恐れずに例をあげれば、国会議員は中国を遥かに上回る太子党であふれ、自浄作用が麻痺している。また国家財政が破局的状態にある経済、信じられない内容の連日の少年犯罪の多発は、親や学校の教育が殆ど〝死に体〟に近いことを証明している。精神的基盤が無くなってしまったためか、道徳的に降伏してしまっているのか。

35年間で世界約60カ国300都市を回ってきたけれども、彼らは〝日本を知らない〟か〝知っているが尊敬していない〟のどちらか。カネはばら撒いてきたが、尊敬される国家戦略、敬意を感じさせる美学などが無くなったからであろう。世界の主要国からみても、日本は限りなく軽い存在、大国に対し萎縮し、一方で絶対精神が弛緩した状態なのではないか――と思われる。つまり個々人の〝民度〟が限りなく下落した結果に違いない。考察するまでもなくそれは米国から与えられた自由主義、自分達の手で勝ち取ったものではない民主主義がもたらした〝全体〟のためなのであろう。

比喩の適否はともかく、米国の作った学校のお砂場。そこに聳える日本城。この城に今のまま幾ら上乗せしても海外から敬意は払われない。しかし日本城を一度破壊し、砂を深く深く取り払えば日本の大地が出てくる筈である。日本人のＤＮＡは左内だけでなく幕末維新で明らかなように元来ヤワではない筈である。15歳で『啓発録』のような著作ができた人物は欧米にはいない。安っぽい国益を排除し、その大地に再び自分達の血と汗で日本城を建て直し、その環境で力強く働く大人達の背中を子供達に見せるべきである。物理的な破壊は無論必要なく〝民度革命〟が必要なのである。外国人はこうした残像のある日本人にこそ敬意を払っているのだと愚考している。

No.2

「已むに已まれぬ大和魂」の英訳

『選択』17 2008年6月

『留魂録《りゅうこんろく》』は吉田松陰の遺書である。5年がかりで5年ほど前に英完訳・製本化し、橋本左内著『啓発録』同様、海外の主要大学図書館へ寄贈した。翻訳家でもなく余技にすぎない。収入を得たわけでもない。むしろ出した。海外の拙い体験の中で、キチンと説明できればの話だが、欧米の知識人の多くは、特に幕末期の日本人には深い敬意を払う。この時代の日本人が輝き、自信を持っており、凛然としていたからであろう。右翼と見られずに愛国者と認識されることが非常に難しくなった今日の我国では、『留魂録』英訳など唐変木も極まっている筈である。しかし長年の外国人との対話から、本書は海外に対し戯曲もどきに「日本人を舐めるなよ」といったメッセージも込めたつもりでいる。しかし実態は、精神的に何も歯止めがかからず、カネだけが頼りのボウフラのような法治国家となった心貧しい日本人に対し、「舐められるなよ」と鉾先を向けるべき世情だろう。『留魂録』は読めば読むほど、人間として、こんなにも人に優しくなれるのか、こんなにも国を想えるのか、こんなにも自己犠牲が払えるのか——といった魂の叫びが聞こえ、現代の日本人へ重い警鐘を与えている。

周知の通り、松陰は人生の大半を獄中で送った人物。それはペリー黒船到来時の国外脱出の蹟《つまず》きに始まる。米艦ポーハタン号に小船で乗りつけペリーに面会を求めたが果たせず、米国のボートで送り戻された。国禁を犯した訳である。しかし潔く自首、下田獄から江戸獄へ護送される途上、高輪泉岳寺の前で赤穂浪士に捧げる——として詠んだものが次の歌である。

かくすればかくなることと知りながら
已むに已まれぬ大和魂

吉田松陰著作『留魂録』英完訳書（錦正社）

この歌の英訳は新渡戸稲造の『武士道』（Bushido, the Soul of Japan）にある。初読はもう四半世紀以上前となるだろうか。碩学も極まる横溢した学識が縦横に展開され、その中にはキリスト、孔子、孟子、ニーチェからマルクスといった人物が「武士道」の外輪山のように表出し、引用され、吟味されている。いわゆるノーブレス・オブリージュ（no-blesse o-blige＝高い身分に伴う義務）について、余すところなく言及している。

初読当時は備前岡山藩士・滝善三郎《たきぜんざぶろう》の自決の個所が強烈だった。同藩家老の乗った輿が外人居住区を通過した際、フランス人ふたりがその行列を横切り衝突。砲術隊長の滝善三郎は、先方が短銃を持ち出したのを見て、銃撃戦となった。この神戸事件の裁定で、滝善三郎は仏、英、伊、蘭、米など内外検証人立会いのもと割腹自決を遂げたのである。この有様を新渡戸は自決に立会った元英国書記官ミットフォードの書から引き出し、滝が左下脇腹に短刀を突き刺して右へゆっくり引き、声ひとつあげることなく刃を半転させ上体へ搔き揚げる場面を鬼気迫る内容で活写。「武士が恥を免がれ」「周囲を救う」切腹という儀式と法制度の徳目について触れており、蘭摧玉折《らんさいぎょくせつ》の印象が残った。

本書では後半で「近代日本の最も輝かしい先駆者のひとりである吉田松陰が刑死前夜にしたためた歌」として、前述の詠歌が英訳されている。実は刑死前夜に詠まれた歌は、遺書である『留魂録』の巻頭歌「身はたとひ　武蔵野の野辺に朽ちぬとも　留め置かまし大和魂」。これが辞世の歌であり、新渡戸に若干の誤解がある。しかし『武士道』はクエーカー教徒で米国人妻であるメリー・エルキントンに、妻女《さいじょ》としての立居振舞を含めた日本人の価値観や倫理観などを知ってもらうためになした著作。史実の詳細において若干の誤認識があったとしても、作品の真髄や価値には無関係である。英訳は上記のごとくなっている。

"Full well I knew this course must end in death；It was Yamato spirit urged me on
To dare whatever betide"（1899）

この英訳は、従って辞世の歌としての認識に基づく肉体的な死、物理的な死を表現している。E・デイッキンソン等の詩を好む教養ある米国人にも、以前英完訳に際し意見を聞いた。彼によれば、この英訳は1900年頃の表現法であるらしい。いうなれば「いずくんぞ〜あらん」、「お主《ぬし》とて〜御座そうろう」といった類の昔流行の表現なのだそうである。

＊

ところで松陰のこの歌を史実に忠実に、適切に英訳するとなるとどうなるのか？――そのポイントは、松陰が下田渡海失敗で自分が死罪（肉体的な死）になることを知っていたのか。そうではなく「島流し」など前科者としての社会的な死（世俗的な死）を覚悟していたのか――によって英訳はかなり異なったものになるだろう。

そもそも幕府の量刑はどうなっていたのか。『体系日本史叢書法制史』によれば、戦国時代は犯罪人に対し磔、串刺し、鋸挽き、牛裂き、釜煎りなど残酷な刑が執行された、とある。江戸時代となり3代将軍家光は寛永10年（1633年）『鎖国令』で日本人の異国渡航を禁止、密航者は死罪と定めた。それから1

10年後の8代将軍吉宗は寛保2年（1742年）『公事方御定書《くじかたおさだめがき》』を制定、これが以降の幕府裁判基準となった。しかしこの御定書は寺社奉行、町奉行、勘定奉行らだけに備えられ他見厳禁の秘密法典。何の罪がどんな罰に相当するか公示せず、外部への心理的威嚇戦略をとったのである。

従って松陰が幕府の量刑基準である『公事方御定書』で、自らの量刑を予測する資料は手元に無かったであろう。しかし『鎖国令』で死罪と定められていることは知っていたであろうし、半端な知識人でなかった松陰は、それが200年以上も前の法令であり、幕末にそのような事例がないことも又知っていたと予測されるのである。それは5年後の『老中間部詮勝《まなべあきかつ》要撃策』露呈時の『高杉晋作宛書簡』（安政6年＝1859年）でさえ事後、自分の量刑を軽いと予想しており、その1カ月後の『飯田正伯宛書簡』でも自分の刑罰を「遠島」と推測している。これらから下田渡海時には、正確な量刑を予測できなかったものの、たとえ失敗しても幕末のことではあり、死罪になるとは思っていなかったと考察されるのである。

この考察が正しいとするならば、その英訳は〝肉体的、物理的な死〟ではなく〝社会的、世俗的な死〟となる。ここに結論を得て私はこの詠歌を次ページのように英訳した。

「かくすれば……」の「このようにすれば」とは、一体「どのようにすれば」なのか。個人主

“Even knowing that the end could come, It could not be held back；the Yamato spirit”（1999）

義（主語が必要）な言語である英語と、主語が無くとも表現が可能で、多彩な意味を包含する簡潔な日本語のエートスについて、別の知己である米国人Cheiron McMahill氏にしばしば教示を受けた。彼女は米国Washington大学で英語学（BS）を、Georgetown大学で日本語学（MS）を修め、英国Lancaster大学で応用言語学のPh.Dを取得した言語学研究者（群馬女子大学准教授）。日本人と結婚、夫君と群馬に移り住み、工業団地で大量に雇用されているブラジル人家庭等の子供達の英語教師や異文化への着地をケアするNPOを主宰している。彼女は神道の帰依者でもある。

この英訳が最善かどうかは分からない。「表現」における西洋と東洋の心の在り方、つまり「持つ人生」と「在る人生」の間の深い渓谷にまで入り込むことで、最適な翻訳が極まるのだろう。

No.3

春嶽公ご嫡孫・松平永芳氏の尽忠

『選択』5　2007年6月

平成7年、目白・椿山荘《ちんざんそう》の茶室で松平永芳《まつだいらながよし》氏（当時80歳）と玉利禮子さん（当時90歳）のご尊顔を拝してからしばらく時間が経つ。松平永芳氏は第6代・靖国神社宮司を務めた。世に名家数々あれど、これほどの名家を私は知らない。祖父は島津久光《しまづひさみつ》、山内容堂《やまのうちようどう》、伊達宗城《だてむねなり》と共に幕末期「四侯」といわれ政治総裁職を務めた名君、越前福井藩主・松平春嶽公。越前松平家は家康の次男・松平秀康に血統端を発す。実父は徳川家康、豊臣秀吉は義父である。初代越前藩主から数えて徳川300年、春嶽公が16代目にあたる。

従って永芳氏は、世が世なれば将軍継嗣に準ずるご家門。寡黙で古武士然とした風格ある方であった。因みに春嶽公のご子息、即ち永芳氏の父君である慶民《よしたみ》氏は1946年より宮内大臣を務めた。またご母堂の幸子さんは鎌倉時代の武将・新田義貞公直系の新田忠純《にったただずみ》男爵の四女。奥様の充子さんは名門醍醐家の海軍中将・醍醐忠重《だいごただしげ》侯爵と、戦国時代の武将・毛利元就《もうりもとなり》の末裔である毛利元昭《もうりもとあき》公爵を実父に持つ毛利顕子さんとの子である。（注：醍醐中将は戦後ボルネオ島南カリマンタンにおいてオランダ軍事法廷下で死刑）。さらに顕子さんのご母堂は幕末期「今天神」と謳われた公卿・三条実万《さんじょうさねつむ》の四男である三条実美《さんじょうさねとみ》太政大臣・兼首相の子という家柄なのである。

以前その松平永芳氏から「幕末期、日本人の志操の高さを代表する橋本左内著作『啓発録』を英訳され、それを海外へ普及されたる御振舞ただただ心胆より……」とのご丁寧な骨太の墨筆書状を頂戴した。これを契機として景岳会（景岳橋本左内を鎮魂する会）等を通しお付き合いをさせて戴いた。年1回お会いするこの会で、例えば奥様の充子さんは茶道の心得がなければ意味が通じない言葉を、少なく発せられる雰囲気と気品があった。

一方、玉利禮子さんは松平春嶽公の身代わりとなって弱冠25歳で刑死した橋本左内の舎弟・橋本綱常《はしもとつなつね》のご嫡孫なのである。綱常も実兄左内を敬慕する特別な英才でドイツへ国費留学、帰国後東大医学部教授となり初代日本赤十字病院長、貴族院議員、たしか日本最初の医学博士、陸軍軍医総監などを歴任した明治医学界の大御所で子爵となった人物である。

＊

お会いする前に松平永芳氏から、お付き合いに際しご自分の立場を明確にしたい旨長いお電話を戴いた。その主旨は中国の最高学府であり、米国で「中国のハーバード＆ＭＩＴ」といわれる北京の清華大学に招聘されている私の立場への配慮であった。何故なら「靖国問題」として当時からあった日中間の軋轢にお気を遣われたのである。ついこの間とはいえ10年程前、日本のメディアさえ不確かな情報しか伝えなかった、或いは伝える力のなかった中国の上等な真の大学事情を知っていた永芳氏の国際感覚と、他者を気遣う礼儀に心から驚いたものである。

次に「靖国神社」の依って立つ核心について話された。これには事前に幾つかの冊子や書面のコピーなどの恵送があった。日本は第二次世界大戦で敗北したわけであるが、靖国神社の昭和殉職者（東京裁判の呼称はいわゆるA級戦犯）合祀に対するご自分の姿勢についてである。全体の要旨は、永芳氏が元最高裁判所・石田和外長官の強い勧めで靖国神社の宮司に就任したこと。この宮司就任に際し、いわゆる「戦勝国による一方的な東京裁判を否定しないかぎり日本の精神復興は出来ない」と考えていること。従って当然ながら昭和殉職者の方々も合祀すべきである旨述べ、この見解に対し石田長官の同意を得、この得心のもとで宮司を引き受けた推移。また戦後の国家護持法は危険であり、靖国神社は国民総氏子であるべき、との持論を強く提唱。靖国神社を政治の渦中に絶対に巻き込ませたくない、従って中曽根総理（当時）の靖国公式参拝に際しても、参拝方法の問題よりも政争の具になることを懸念、出迎えることをしなかったこと——など落ち着いた口調で丁寧に話された。

また父君が大正天皇の侍従から昭和天皇の側近中の側近として最後の宮内大臣を歴任した。

このため皇室や宮内庁の内情を知悉しており、永芳氏ご自身も、「皇室は道義の中心でなければならない」――として、現状のどなたもご進言が難しい皇室の御在り方にも憂慮されておられることも述べられた。従ってしばしば宮様などを経由し御耳障りなことも陛下へ進言してきたことなど、永芳氏からしか窺い知れない話を伺ったのである。靖国の推移や実際が詳細面でどうであったか、歴史を専門としない私にはもとより不明である。また伝承とは一般に時間経過と共にLogicalな面とFantasyな面が混在してくる。しかしながらその話し振りは、余人及び難い純粋な尽忠の信念が伝わると共に、ひとりの人間の深い憂国の情を感じたものである。また行状の理は『論語』の憲問《けんもん》の如く、自己の名利の追求などとは程遠い別世界の危言危行が察せられた。すなわち憲問にみられるように、言葉を正しくし、行いを正しくする信条とでもいったものが察せられたのである。

また英国ロンドン大学からの要請に基づく「On Sanai Hashimoto」と題した私への招待講演時には、永芳氏から一冊A3判厚さ65㎜もの『春嶽公記念文庫名品図録』の上下巻および同サイズの『景岳橋本左内遺墨帖』を大学側に丁重に寄贈。値が付けられないほどの高価な非売品である図録の豪華さにドナルド・キーン氏の弟子であるロンドン大学日本学センター長も感激する一幕もあった。

＊

景岳会とは別に何度か椿山荘でお会いした。私のポテンシャルも問われるべきだが、永芳氏は寡黙ゆえ意思の疎通が十分であったとはいえない。しかしその雰囲気は、「雑魚は跳ね雑魚は踊る大海」の岸辺に佇むひとりの伯楽のように「誰が知ろう水の心を、水の深さを……」といったイメージを彷彿とさせた。一方玉利禮子さんは明治の女性らしい凛とした品位ながら言葉を選んでよく話された。大変気さくで祖父時代の藩主の家柄にあたる永芳氏を「松平様」と殿様を慕うような趣きであった。綱常公は明治天皇の侍医長であったため皇居に御身体をご診察に行く際、時に同伴が許されたそうである。お話の中で禮子さんの子供時代、皇室へのお届け物の御裾分けの菓子などを明治天皇から直接頂戴し、天皇陛下ご自身からよく頭をなでられたことなど想い出深そうに述べておられた。

それを聞く永芳氏も聞き手名人のような泰然さ。永芳氏夫妻は、ご令息を学生時代に亡くされ、ついでご令嬢が結婚し出産後早世されたため、孫を育てる業を背負われたとのこと。時に「孫は宇宙人のようです」などと話されていた。

言葉少ない故に特に印象的であったのは、人物の見方として「人間の器量というのはふたつの点を見れば大半わかる。ひとつはその人物の絶頂期の振る舞い。もうひとつは最低期の振る舞いがどうであったかを見ることだ」——と父・慶民氏から薫陶を受けた旨、ボソっと述懐された時である。下々から上々に至るまで通用するようなこの示唆は、天皇家を擁した徳川家300年から沁み出た〃人間の要諦〃のように聞こえた。

平成17年7月、永芳氏は他界された。その1年後の7月、その時期を待っていたかのように、日本経済新聞の朝刊1面トップ記事として昭和天皇が松平永芳氏について触れたとされる、例の『富田メモ』なる断片がスクープされ大論争となったのである。

No.4

熱海・多賀小学校の光風とシグマ線図

『選択』28　2009年5月

「橋本左内を知っていますか?」。熱海の市立多賀小学校だよりA3判『橙の里』にこのタイトルがプリントされ、ポスターとなって町に貼られたのは2008年暮だそうである。農地を子供達に開放している酵素風呂の妙楽湯店主・山本進氏。水稲（水田で栽培する稲）、陸稲（畑で栽培される稲）など田植えや刈取りで農業を体験させつつ、自身は禅僧・村上光照老師に感得を受け、和尚の四国高松行脚時に知己となった篤志家・満岡重一氏の情報から「やさしい啓発録」の資料を取り寄せ、農作業に子供達を引率してきた小学校教諭に手渡したのが事の発端である。

幕末の英傑・橋本左内については『日本人の民度革命』で既述した。この左内15歳時の著作『啓発録』の〝稚心を去る〟〝気を振う〟〝志を立てる〟〝学に勉とむ〟〝交友を択ぶ〟を山田学年主任が読み聞かせ、子供達も諳《そら》んじているとのこと。気を読み取った店主は母校、多賀小学校・西島幹人校長と掛け合い、その結果、初体験であるが小学生むけ講義の運びとなったのである。折しも橋本左内没後150年。小学5年、6年生計200名に校長以下40名程の教職員や母親などが参加された。

講義に際し今の11、12歳の子供達がどんな価値観で何を考えているのか？――導入の方法を模索した。左内は2008年のNHK大河ドラマ『篤姫』と全く同時代。見るに堪えるテレビは誠に少ない。海外も多く私も見ることは不連続だったけれど、子供達に聞いた。「大河ドラマ『篤姫』を見た人、手を挙げて？」。200名の子供達で手を挙げたのは僅かに8名。テレビ視聴率の不確かさもつとに有名であるけれど、この挙手数にも驚いたものである。

＊

教育場とは「生徒の心に火を点《つ》ける」所である。教育とは如何に子供達に適したそれぞれの火を点けられるか？――ということであろう。昭和7年発刊の『橋本左内言行録』（山田秋甫《やまだしゅうほ》編）を中心に左内の少年期の振る舞いや『啓発録』の要点に触れた。『啓発録』はつまるところ〝人格のあるべき姿〟を世界に例のない弱冠15歳でほぼ完璧に述べた著作といえよう。成績で人格が決まる訳はなく、人格で人間が決まるのである。そして人格の解釈は様々である。これらを噛み砕き、一応「人間としてのぶ厚さ、深さ、弾力さ、品性など」を人格の高さ、大きさとし、それを絵姿として要約したΣ《シグマ》線図（次頁）について説明した。自前であり概念の域を出ないけれども、以前から幾つかの大企業幹部会や大学院生に話し、簡明で印象的との声が多

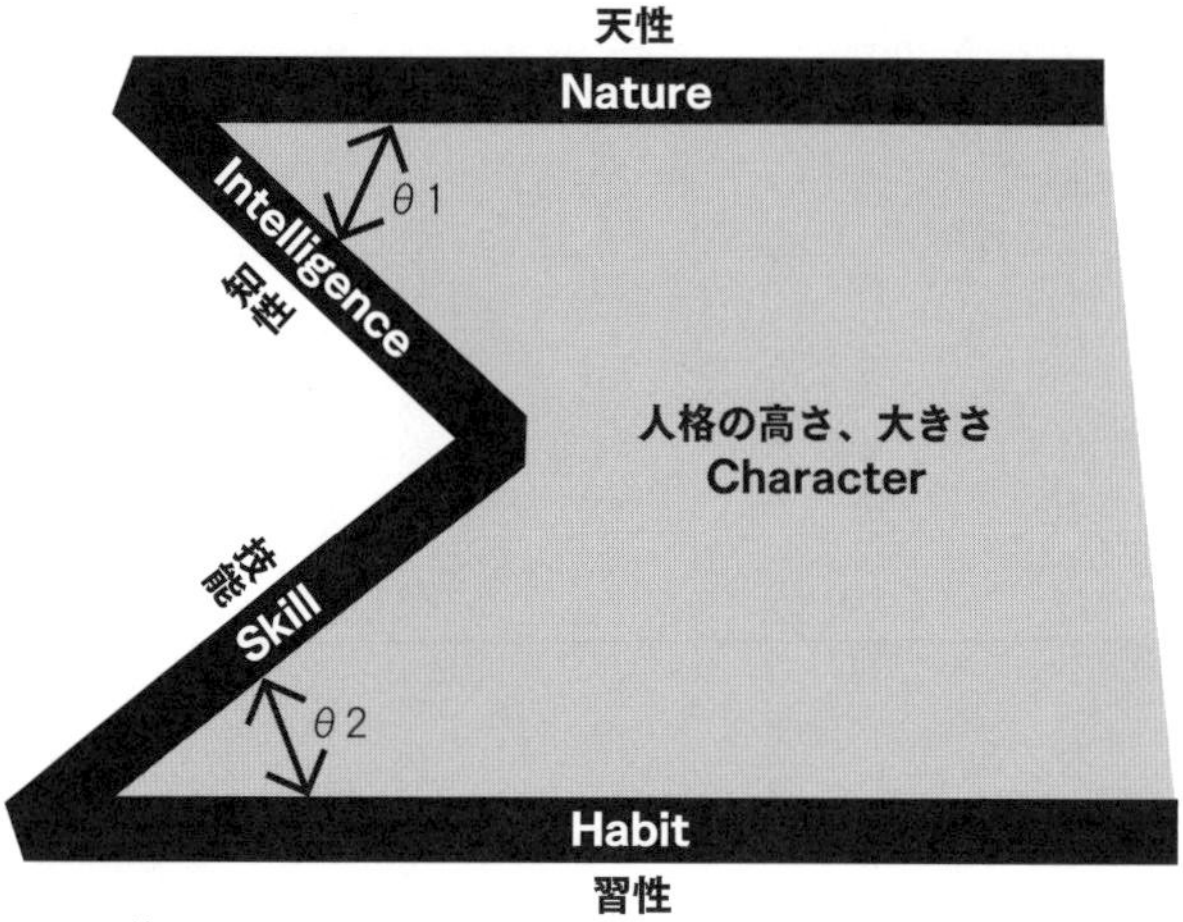

▲シグマ線図

いためここでも試行したのである。

管見にすぎないけれど、哲学書、心理学書をはじめ言及されている多くの「人格とは」の説明に、「天性」「知性」「技能」「習性」4要素を使っている。それぞれが大きければ、人格も比例的に増大するとしている。しかし筆者は人格形成上「4要素」は等価ではないのではないかと思念している。従ってΣ線図なるものを考えてみたのである。第一に重要なのは人間の本質たる「天性」。心の明るさ、清らかさ、人を人として愛する等の徳性・徳義たる「天性」は実は他力。自我が目覚める3歳位までに特に母親から授かることが、米国ミシガン大学をはじめ幼児心理学等の研究でかなり明らかとなっている。即ち「天性」は自力に依存せず、主として母親の人格に依存する。心優しい賢明な

▲図1

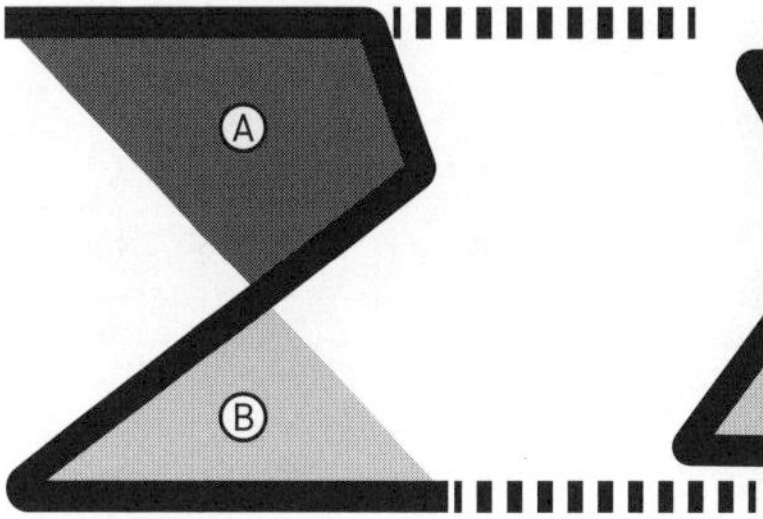

▲図2

母親に恵まれた子供の天性は横軸に伸びる（図1）。一例であるが、赤子に母乳を与える際の母親の姿勢。全身で慈しみ乳を与え、満腹し浅眠から熟睡に到る過程で子守唄や質の高い絵本を読んで聞かす母親は多い。しかし母乳を与えつつも低俗な芸能テレビを見ている母親もいる。レポートによれば赤子は目が見えずとも、自分の母親が全身で自分に注意が払われていないことを察しているらしい。また女性としての胸の形が悪くなるとし、母乳が出るのにミルクの哺乳瓶をくわえさせる母親もいる。極端な例として車に赤子を放置しパチンコに興ずる母親もいる。こうした母親の姿に依存し赤子の「天性」は変化する。DNAに無関係に、食事も満足に与えない母親から心の明るさ、清らかさなど備わる筈はなく、極端な場合「天性」が負となり、図2の如くAがBより大となり、シグマ面積で合計がマイナス、所謂、人格欠損となる。3歳までの自我が目覚める前の幼児教育が、後で取り戻せないほど重要なのであろう。

次の「知性」は頭脳的な判断力や思考力。これがあるから人間は動物より抜きん出ている。しかし少々未発達でも人間の本質たる人格にはそれほど影響しない。何処の大学を出たからといってそれ程問題でない。一流大学を出たからといって人格が高くなるわけでない。「知性」は「天性」ほどには人格に深く関与していないと思われる。「技能」も同様。サッカーが上手い、ピアノが上手、英会話が流暢——といった「技能」は無いより有った方が良い。しかしDNA依存性があるといわれる「知性」や「技能」は、Σの線分の高さ方向にある角度（θ）を以って関与し、「天性」、「習性」ほどには人格に効かないといえるだろう。一例だがスポーツ選手で時々間違いを犯す人がいる。以前もオリンピックで金メダルを多数取得した米国水泳選手が大麻を吸い警察の世話になる問題を起こした。「技能」は金メダルなのである。従ってΣの技能線は著しく長いけれど、脳ミソまで筋肉となったような人格は（図3）の如くなるであろう。無論「習性」でリカバリーできる。

以上より他力でなく自力で人格を高めるには「習性」が最も大事である。習性とは毎日の習慣で作られていく感性や行動様式であり、人格を大きく決定づける。少し乱暴な例をあげてみる。『啓発録』の〝去稚心〟ではないが、子供ならいざ知らず、大人になっても通勤電車等で毎日漫画本を見ている人、また毎日が週刊誌の人、毎日が総合・経済新聞の人、毎日が英字新聞

▲図3

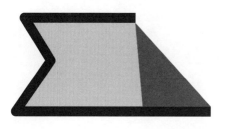

▲図4

の人、毎日が密度濃い書物を読まないと日々充実・律動しないと感じている人もいる。――漫画を読んで無論悪い訳でない。しかし誤解を恐れずにいえば、毎日が漫画レベルで事足りている生活、といえるだろう。『啓発録』の〝立志〟とは程遠い日々となる。一例をあげれば英国のニュートンも中国の朱鎔《しゅよう》基《き》も幼少期に母と離別・死別している。十分な愛情を母親から受け取っていない。従って「天性」が幾分短いようであるが、持ち前の「知性」の上に日々「習性」を蓄積し、自己を高める努力を重ね、偉人となったのであろう（図4）。「人格」のように本当に大事なものは目に見えない――といった話を咀嚼したものである。校長から示唆された講義限界50分は80分までなった。しかし子供達は集中して聞いてくれたようで有り難かった。

＊

子供達から質問があった。「橋本左内ほどの偉人でなくても立派な大人がいるのにイラクなど何故戦争が起きるのですか?」。大人の世界の不条理を突いた炯眼な生徒であった。

鋭い問いで答に窮しつつ、即応だが3種類の〝真面目さ〟に触れた。世の中には「生まじめ」「非まじめ」「不まじめ」の3種類の人間がいる。

道路交差点の例で話し、赤は止まり青で渡るルールがある。「生まじめ」とは真夜中、車がなくても赤で渡らない人。「不まじめ」とは交通が激しいのに信号を無視し渡る人。しかし「非まじめ」とは交通規則は基本的に順守する。それでも夜中など車がなければ赤でも渡る。何故なら車がある前提でルールや信号があるのだ。ただしそこに低学年の子を連れた親が信号の意味を教えている場合、たとえ車がなくても赤では渡らない。これが盲導犬やロボットではマネのできない、人間が五感で自在に考える高い次元の「非まじめ」の概念である。

戦争は「生まじめ」同士や「不まじめ」がぶつかり合うから、「非まじめ」な人が地球上で多くなれば戦争は起きなくなるでしょう——と説明した。そして「非まじめ」の程度も結局「人格」の大きさに比例するのであろう。小学生達に言葉が通じたか？　不安が残った。しかし優れた生徒は得心したようであり、太陽のように輝く子供達の瞳を見ながら大きな元気を戴いたものである。

No.5

ロンドン大学のサムライ講義

『選択』33　2009年9月

幕末の先覚者、佐久間象山《さくましょうざん》が門弟・吉田松陰の黒船密航事件に連座して投獄され、その後9年間・松代藩（長野県）で謹慎生活を送ったのはよく知られている。しかしこのときの想いをしたためた『省諐録《せいけんろく》』は存外、世に知られていない。象山45歳頃の著作。我国が日米和親条約、日英和親条約と次々と締結していった将軍家定の時である。

浅学の筆者はこの「諐《けん》」の字が読めなかった。『字通』『字統』を孫引きしやっと意味が分かったのである。それによれば「諐」の声符（中国語の子音を標記する符号）である「衍《えん》」は「行路上に水が溢れる形で不都合なことを意味する」。この下に意符の「心」をつけ、「過ち」「仕損じ」「了見違い」といった意味になるとのこと。李白の詩「功成りて、身退かざるは、古より諐《けん》尤《ゆう》多し」（諐尤＝咎め）でも推察できる。従って『省諐録』とは、自信家の象山にとって「仕損じを内省するの記」といった処なのであろう。

『省諐録』の第10章第4節は〝外国語の必要〞という個所。「夷俗を馭《ぎょ》するは先ず夷情を知るに如くはなし。夷情を知るは先ず夷語に通ずるに如くはなし。故に夷語に通ずるは――」と語り、自ら外国語辞典を作り、外国語の重要性を力説した。言語力は文化力、文化力が国力であることを喝破していたのであろう。この深い理解や教育が本物にならず今日に及んだという見方もある。初代文部大臣の森有礼《もりありのり》は何と「英語の国語化」を提唱した。更に小説の神様・志賀直哉までも「戦争に負けたのは日本語のせいであり、公用語をフランス語にすべき！」と述べたものである。

――文化は上流から下流に流れる。「日本人を舐めるなョ」といったところで、英語で表現しない限り伝わらないのが国力というもの。『省諐録』はともかく〝大義〟とか〝もののあわれ〟といった英語にない美しい日本語と格闘しながら、もっといえば英語より難しい徳川後期の日本語と格闘しながら、愚直に橋本左内の著作『啓発録』と取り組んだ。吉田松陰の『留魂録』英完訳よりずっと以前のこと。早速、燻し銀のような文化を求めることには貪欲な英国から講演依頼があった。１９９６年秋のことである。

＊

ロンドン大学はロンドンの中心地ブルームズベリーにある。英国最大の大学であり、大英博物館の北に位置する大学本部のＳＯＡＳ（東洋アフリカ研究学院）で「On Sanai Hashimoto」と題して行われた。出席者は文学部長や教授、大学院生など約70名ほど。ドナルド・キーン米国コロンビア大学名誉教授の弟子であるガーストル（D.Gerstle）教授、津和野藩の思想家『大国隆正の天主教観』の研究でケンブリッジ大学から文学博士号を取得したブリーン（J.Breen）助教授等も聴講した。ガーストル教授によればブリーン助教授は、英国に於ける「日本の幕末研究の第一人者」とのこと。仄聞にして知らなかったけれど、求道者の端くれのつもりで聞いて戴くことにした。

幕末維新は日本史上、歴史の沸騰点と呼べるほど光の夥しい傑物が出現した時代である。彼等はそれを知悉していた。途上、大村益次郎、大鳥圭介、福沢諭吉など錚々たる人物を輩出した当時の私塾にも言及した。『適塾』創始者・緒方洪庵が、居並ぶ英傑の中でも、橋本左内を「他日わが塾名を掲げん池中の蛤龍《こうろう》」と評し、別格の扱いをしたことなど話した。蛤龍とは、池に潜んでやがては龍となる機会をじっと待っている大物——という意味である。

一例だが、勝海舟の「この世に恐ろしい者をふたり見た」という有名なセリフがあるが、「ひとりは西郷隆盛、ひとりが横井小楠」であることを会場の英国人が知っていたことには驚いたものである。一体、現代の我国でこれを知っている国民がどのくらい居られるであろうか？「学」の深さに敬服しつつ、その西郷隆盛は「吾の才学器識、逆立ちしても勝てない男がふたりいる」——。それは誰か？ 聞いた。この質問には流石に回答なく、日本人として安堵の胸を撫で下ろしたものである。もし「ひとりは藤田東湖、ひとりは橋本左内」まで正解されたなら、乱暴な言い方をすれば、もはや国体の瓦解と言われても仕方がないほどだったであろう。

ロンドン大学聴講者達の幕末理解が深いので、途中をかなりスキップした。そして所謂「安政の大獄」において、志士達が斬刑に処される個所に及んだのである。10月は左内、松陰とも没後150年の命日月。将軍家の試刀役で、左内や松陰など幕末の志士達の死刑執行をつとめた第7代・山田浅右衛門による介錯時の振る舞いに触れた。『日本近世行刑史稿・上下巻』か何かで読んだのだけれど、斬刑直前の極限状態になると、人間は血圧や脈拍数など許容限界を超え、〝眼が飛び出る〟の形容詞があるように、医学的には体内の伝達物質であるアドレナリンが大量に出る。男性の場合、生殖器周辺が最も反応するようで、陰嚢（Scrotum）の中にある精巣＝睾丸（Testis）は海綿体球筋などの極度の萎縮で、周辺の筋肉が精巣を押し上げ、腹腔と呼ばれる体内に入ってしまう。これはストレス性の円形脱毛症のような無意識の反応と異なり、意識した反応だそうである。武士の死生観にはほど遠い「箱根の雲助」もどき犯罪人の多くが、精巣が体内に入るのだ。これに対し、天下国家を憂い、改革を志す左内や松陰のようなサムライは、僅か20代でも人間の器が桁違いに大きいためか、精巣は自然状態の陰嚢にしっかり納まったまま端座し、一刃のもとに介錯された様子である。

専門外の領域の上、男性の生殖器という箇所が個所だけに英語の語彙を択んで話すのに大汗をかいた。そして介錯時の話は場内にある種の緊張感が漂い、青眼《せいがん》のアングロサクソンは息を止めたように瞬きもせず聞き入っている。拙い医学英語が通じているか、一度だけ聴衆に向かって聞いた。彼等は口が渇くのか首を深く「肯《がえん》じる」ことでやっと応えたのが印象的であった。

＊

講演終了後、日本人の素晴らしい倫理観、価値観について意見があった。会場には目頭を熱くした人、ハンカチを取り出す女性もおり、サムライの生き様や美意識に憧憬と敬意のようなものが漂っている。こうした雰囲気の中で質問がふたつあった。「三島由紀夫の自決時はどうだったか？」及び「左内が日本最初の首相になっていたならば御国はもっと違った国家になったのではないか？」

このような難しい質問に回答できる素養はない。ただ「賢者は歴史に学び、愚者は経験に学ぶ」というけれど、西洋では、行き詰まる度に13〜15世紀のルネッサンス期と18世紀の啓蒙期の「学」に戻り、それを触媒として再出発をして来た様に思える。それに対し我国の歴史の「学」の浅さは如何ともしがたく、縄文・弥生は程々に、せめて幕末維新期の思念と大戦敗北の「ふたつの学」はもっと深く深く研鑽し、大きな財産として後代に残すべきと愚感している。

No.6

幕末期の米国留学と今

『選択』31　2009年8月

ニューヨークから南西に50㎞程行くと、NJ州ニューブランズウィック市にあるラトガース大学のキャンパスが見えてくる。1766年創立、全米で8番目に古い歴史を有する大学である。ここは知る人ぞ知る幕末期の秀才・日下部太郎（1845〜1870年：旧名・八木八十《やぎやそ》八《はち》）が、日本人留学生第1号として米国大学を最初に卒業したとされるエリア。非凡なるが故、米国でも日本でも惜しまれながら卒業直前、弱冠25歳で客死した場所でもある。

その墓は公立図書館の裏手ウィロー・グローブ共同墓地にある。2009年5月の訪米時立ち寄った。そこは「日本セクション」と呼ばれる鉄枠で囲まれた一区画。日下部以下6人の、高さ2m程の白い御影石のようなオベリスク状モニュメントは風化が進み、墓石の氏名墨書などは侵食され無い。彫られた文字は「大日本越前日下部太郎墓」。越前の文字が大日本と日下部の間に小さく控え目に彫られてあり、死亡年月日が明記されていた。日下部を憂国の士として高く評価した当時のキャンベル学長の弔辞によると、結核で死の床に伏してもなおキリスト教に改宗することなく「武士」のまま他界したとのことである。余命幾ばくもなくとも書物を離さず、指導教官から本を取り上げられる程学業熱心であった日下部の墓は、少し荒廃しており、供養の花容れも倒れたままであった。

墓参の帰途ラトガース大学アレキサンダー図書館を訪問し、大学記録保管所・特別コレクションのF・ペローン館長（Curator）とお会いした。ここはグリフィス・コレクションとして関係図書などを収納した一室。黎明期の日本で後に「お雇い教師」となったグリフィスに日下部はここでラテン語を習ったのである。館長は日下部の関係歴史文献を入れたふたつの紙製ファイルボックスを取り出して来た。文献は決して多くない。幾つかの英文の刷り物、写真に混ざり、山下英一、高木不二、阿部珠理など各氏による地道な研究の一端となる邦文コピーが納められていた。

＊

日下部太郎は13歳で越前福井の藩校明道館《めいどうかん》に入学、21歳のとき洋学の中心地であった長崎遊学の命をうけた。そこでオランダ改革派教会の宣教師G・F・フルベッキから英語を習い、「彼ほどの明敏な日本人は見当たらない」との強烈な印象を与えた様子である。宣教師とラトガース大学がオランダ系だった縁で、日下部はこの大学へ留学したのであろう。日下部渡米時のアメリカは南北戦争が終了した直後。他方、フルベッキはかねがね鎖国体制を批判していた幕末期の政治家・横井小楠の甥にあたる横井左平太・太平兄弟も教えており、彼らは日下部に先んじてラトガースへ向けて密航したのである。小楠は山林等を売って甥の留学費を工面したが、当時の1000両など米国に着くまでの約半年間で全て消費したそうである。ふたりは鎖国体制崩壊直前のため密航の形となり、名前を伊勢佐太郎、沼川三郎と変名しての私費留学渡航だったのに対し、日下部太郎はいわゆる公費留学。維新直後で給付金の内容は刻々変化したようであるが、当初越前藩から年100両、のちに250両。1869年には明治維新政府から公式留学生として600両が支給された。しかし年平均1000ドル必要といわれた留学費用には程遠い内容だったようである。それは日下部の実家・八木家にも多大の負担を強いた。留学費不足で困っている旨の太郎の報に、父・郡右衛門は相当の工面をし「大借金の八木家」となり、世間から誹謗中傷を受ける有様。「事情をよく勘案し帰国を願う」といった心を打つ切々たる手紙が残っている。父は1869年に太郎の弟・次郎、三男を相次いで亡くし、その上藩政改革で福井藩の御使番を免じられ、経済的にも精神的にも奈落の底にあった。その翌年、家族及び藩の至宝である太郎が客死したのである。

日下部の英才ぶりは尋常でなく、英語修得のグラマースクールを短期で修了、いわゆる飛び級で大学本科へ進学した。館長によれば、その後二十有余年の間に、約300~400名のラトガース大学留学生がいたものの卒業したのは僅かに4〜5名だったとのこと。日下部は心震えるほど学業に励み、優等生の会員クラブ、「ファイ・ベータ・カッパ」の日本人最初の受賞者ともなった。しかし当時の食生活の遠因等もあり、重い結核を患い死の床に伏し、1870年肉体的な消耗死の様相を呈し、惜しみて余りある生涯を閉じた。ファイルボックスの中の文献によれば、科学科に在籍した日下部の成績原簿を発見した記録もあり、化学、幾何学、応用数学は100点満点。90点以下の科目はひとつもなく、専門外の歴史学、フランス語も100点、道徳哲学も99点など、唖然とする秀才ぶりであった。

現代の日本では、誤解を恐れずに言えば、ふんだんに官費を使った米国留学が日常的になっている。霞が関の財務省、経産省、日銀、政投銀などの若手官僚が、公費留学する。それ自体は視野を広め推進すべき政策である。米国のハーバードやイエール、プリンストンやコーネルなど一流大学は私立大学が多い。同様にパブリック・アイビーといわれる名門のUC（カリフォルニア大学）バークレー校、UT（テキサス大学）オースチン校、UW（ウイスコンシン大学）マジソン校やUM（ミシガン大学）アナーバー校といった一流州立大学の受け入れ難度はともかく、米国私立大学は潤沢な費用付き留学生受け入れには誰にでも寛容で、いいお客さんでもある。東大卒官僚等でも、苦学体験のない箔付け留学や、学位も取れず帰国する者も多い。

管見によれば、我国の留学組の大臣・次官級に対し「スピーチや政治折衝では半分以上何を言っているのか不明」と本音で評する米国人は少なくない。国内で通用する留学履歴が米国社会で通用しないのだ。理系のように科学的専門性が高ければ英語力や折衝力が不足しても原則対応できる。しかし政治・経済・法律等では洗練された圧倒的語学力が必要なのである。ここ10年、入ってしまえば遊園地と言われ続けている我国の大学に見切りをつけ、自力で米国のトップ大学に入学・卒業し、私立や州立の一流大学で文系博士号を取る若者も出てきた。自力で勝ち取った博士号取得者の初任給は27歳前後で、日本では信じられない概ね年12万ドル（約1200万円）からスタートが約束される。高い学問を身に付けた若者に、高い収入を約束するのは当然である。また一流の学位の価値は極めて高いのである。彼らは高い米国人脈を構築し、人種の壁も透視し、米国競争社会で勝ち切る可能性を秘めた猛者達でもある。国内に目を転ずれば、今の段階ではそこまでの要求は過酷かもしれない。しかし我国の政治家も、もし〝先進国〟であることを自認するならば、首相や大臣に就く最低資格として「TOEFL600点以上＋漢字検定1級＋α」の要件等が必要なのであろう。縦型共同体の村社会でなく、日下部太郎のように「日本の将来は世界の中で決まる」――との思考回路を身体に刻み込んだサムライの帰国や出番が待たれる。

No.7

英国大使館における武士道・騎士道談義

『選択』46 2010年11月

数年前、半蔵門にある英国大使館において東大名誉教授である三浦登先生の名誉大英勲章OBE（Honorary Officer of the Most Excellent Order of the British Empire）の叙勲式典があり、ご招待をうけ大使公邸に出席した。赤坂にある管理容器的な米国大使館に比し、ギリシア神殿風の英国大使館。三浦先生は東大で学ばれた後、英国オックスフォード大学クラレンドン研究所へ留学、帰国後、東大物性研究所で教授を務められた。英国だけでなくドイツのドレスデン・ライプニッツ固体物理研究所名誉教授、ベルリン・フンボルト大学名誉教授の称号など授かっている強磁場研究の権威のおひとりである。筆者との関係でいえば、むかし乃木坂にあった生研（生産技術研究所）に通っていた頃、隣棟が物性研で偶にお見かけしていた。それよりも1980年代後半頃から、レーザーテック株式会社オーナーの提供する音楽サロンが南青山にあった。不定期だが室内楽やピアノソナタの独奏会、時にはウイーン・フィルのメンバーによる即席演奏会などもあり7〜8年ほど続いた。演奏後は音楽家も交えワインパーティ形式で自由に歓談でき、常連であった三浦先生ご夫妻共々親交させて戴いて以来のお付き合いである。

女王陛下による叙勲は、英国との関係発展に顕著な貢献があった人物に対し「名誉勲章」として授け、女王陛下の代理（通常はその国の大使）によって伝達されるもののようで、第一次世界大戦に活躍した民間人の労に報いる目的で１９１７年創設されたとのことである。

当日夕刻、金縁で彩られた等寸大のエリザベス女王の絵画がかかる大使公邸内の奥の扉が緩やかに開いた。楽隊の演奏共々いかにも英国の式典らしい衛兵が20名ほど、騎士然とし足並みを揃えて中央に出、駐日英国大使であるサー・グレアム・フライ氏の采配の下、厳かに執り行われたものである。参列者は江田五月参議院議員、毛利衛宇宙飛行士、北澤宏一ＪＳＴ理事長、著名な物理学者である外村彰、十倉好紀、樽茶清悟氏など数十名が参列。式典後のカクテル・レセプションではグラス片手に幾つかのグループの歓談となった。特にオックスフォードでの研究環境の話題、量子コンピュータを提唱したＤ・ドイッチェ教授の「教育は総ての義務から自由であるべき。必修科目を設けたり、試験などすべきでない」との思想、教授職にも拘わらず大学で講義はしない主義、それ故給与は支払われず、研究グラントと著述等で生計を立てている仙人のような教育観に関する話題もあった。

＊

商務官も交えた筆者のグループにいた米国留学組の各氏からは、米国には存在しない英国の伝統的な表彰制度に対し若干の羨望もあった。叙勲式が衛兵による幾分芝居がかった式典のせいか、騎士道、更には日本の武士道の話題も出た。特に日本史に興味を持つ商務官からは、何故か三島由紀夫の自決の話に及んだものである。彼は欧米人にとって、歴代の天皇、首相など含めた全ての日本人の中で、古今東西、自決前から、世界で最も著名な日本人であることを述べ、「武士道というは、死ぬことと見つけたり」で有名な山本常朝の思想書『葉隠《はがくれ》』（１７１６年）に触れ、その対比の中で三島の『葉隠入門』の読後感を述べていた。

沈黙しているのも芸が無く、作家のドナルド・キーン氏といつぞや都内のホテルで会食し直接聞いた話を提供した。それは昭和45年（１９７０年）の日米安保条約更新前夜の日、安保改定反対騒動から10年。氏が三島由紀夫と共にタクシーを乗り合わせ皇居前にさしかかった時、三島が皇居前の石段で討ち死にする旨の話があり驚愕。「命長ければ辱多し」とし、間もなく夭折の美学に対する信念ともいうべき市ヶ谷の自決に及んだ鬼気迫る内容についてである。

商務官は武士道のエートスが社会に与えた影響度からみれば西洋騎士道など格違いで遠く及ばない旨述べ、『葉隠』以降の武士道精神の歴史に敬意を払っていた。

贅言《ぜいげん》を費やすことはないのだが、武士道は中世の戦場における作法がその前史をなしている。何が名誉な振る舞いで、何が卑怯な行動かはもっぱら武家社会で自然発生的に形成され、そこへ神道、儒教、仏教、禅の思想などが加わり、16世紀に武田の武将による『甲陽軍艦』（１５８６年）なる経典から理論化された。徳川時代になり行動規範が勇猛だけでは不充分であり、人としての徳義を弁《わきま》えることが不可欠となった。そして刀剣の必要性が極小化し武士が官吏や浪人、商人等へ変化していく。その過程で、如儡子の所謂ベストセラー『可笑記』（１６４２年）を通じて広く庶民に読み継がれ、その中で国民道徳一般へと拡大された。ついでながら江戸社会の商人達までも〝名誉と信義〟を商売上の担保としていったわけであり、そうした経緯で『葉隠』以前から忠義や信義の観念が深化していった過程など対話した。

士農工商の別無く「武士道」概念が国民に浸透する中で、例えば江戸前期の若狭国の義民である庄屋・松木荘左衛門（１６２５〜１６５２年）をご存知か聞いてみた。商務官のみならずその場の日本人数名は「ノー」。事件は若狭での年貢の大豆が1俵4斗からプラス5升増貢が発端となり起きた。次代領主にも引き継がれた年貢率をめぐり、庄屋総代として二十数名が郡代役所に対し理不尽な米大豆の租率復帰嘆願し、のちに強訴に及んだ。この罪で一同が投獄され、役人の脅しに屈し、次々と訴願を取り消した中で荘左衛門のみが獄中生活を耐え抜き、遂に藩当局も折れ訴願を受け入れたのである。

しかしながら支配者側の面子により松木荘左衛門は磔刑《たっけい》に処されることとなった。河村仁右衛門著『若狭の義民』によれば、これは強訴による罪というよりも、強訴強願の輩を根絶させようとした藩主側の刑事政策であることは自明である。
十字架上に犇《ひし》と縛り付けられると役人による厳かな口調の下で罪状が読み上げられ、最後の発言を許された。荘左衛門は竹矢来《たけやらい》越しではあったが、不自由な中にも左右視野の及ぶ限り、何度も雲集する人の黒山を打ち眺め、しばしの間、最後の別れを惜しむようであったが、やがて沈痛の声をはりあげた。「幾万の百姓衆よ、我今ここに仕置きされる。露より脆き命なれど、幸いにして我が一命を豆にかえ、今秋より貢豆は4斗俵に復されたるぞ、……今日の磔刑、まさに男子の本懐なり、今後とても魂魄《こんぱく》この土に止《とど》まってあくまで百姓を護るべし。皆の衆よいざさらば……」。述べ終わると左脇下に長槍が突き刺し一抉《えぐ》りし、鮮血が飛び散る中、直ちに右脇腹へ。その凄惨さにさすがの役人さえ目をそむけ、四周の農民も咽び泣く中、イエス・キリストの如く十字架上で息絶え、神霊となった。武士道のエートスと決して無縁でない、身分は百姓でも松木荘左衛門のキリストの如き行為が、日本の歴史教科書などでキチンと子供達に伝達できる見識ある日本でありたい、との思念を述べたものである。

*

相変わらず三浦先生ご夫妻はホストとして客人の応接で対話の時間さえなかった。そこへグレアム・フライ英国大使との対話となった。氏の奥方は日本人トヨコ夫人。商務官との話を引継いだ形になったが、大使は少考した後「西洋の騎士道（Chivalry）はもはや死語」と述べ、「日本の武士道（Bushido）は、いまも主流のエートスとして言葉の高い意味の宗教では？」と付け加え、英国の紳士道にも触れたものである。紳士道といえば「絶対に屈服してはならぬ。絶対に、絶対に、絶対に」と述べたチャーチルは、武士道との関連において〝Gentleman〟だったかどうかについて伺ってみたかったが、聞きそびれてしまった。

第2章 世界各国の底力

No.1

デンマークの民度の息遣い

『選択』8　2007年9月

中国の電力供給構造は約75%が石炭火力であるが、2006年1年間だけで1.1億kw増加した。CO_2を撒き散らしながらだが、たった1年で東京電力の2倍の電力会社が1社できたことになる。一方デンマークは世界一の風力発電立国で知られる。このクリーンな風力発電ビジネスモデルが他のEU諸国や北米、インド等にも強い影響を与えてきた。先日そのデンマークを久し振りに訪ねた。この国は1985年に原子力に依存しない電力行政の方針を決定、その代替として風力発電や分散型コジェネをいち早く取り込み、世界一の風力発電機生産国となった国家である。デンマークにはユトランド半島に風力発電に関する中核発信基地Folke-Center（フォルケセンター）がある。所謂NPO（非営利活動組織）である。また首都コペンハーゲン近海のゲーテ湾近傍でも、オフショア（洋上）に浮かぶ壮観な風力発電風車群を見ることができる。

日本とデンマークは'70年代より共にエネルギー自給率は低く中東の石油依存という客観的状況は同じであった。何故ここまで電力構造が違ったのか。人口比だけでは説明できない国民の

コペンハーゲン近海に並ぶ風車群

民度の高さの違いを見せ付けられる旅となった。風力発電の普及には様々な障害がある。イニシャルコスト問題や電力会社の電力買取に対する隠然たる抵抗である。これに対しフォルケセンター創始者のP・メゴール氏は'80年初頭、当時のデンマーク政府の原子力発電推進政策を強く批判。「政府にできないなら民間でやってやる」とばかり、原子力に対抗し町工場の職人衆と共に風力発電設備立ち上げの挙に出たのである。E・ダルガスからグルントヴィへと繋がるフォルケホイスコーレという自己教育システムが生きているのだ。

電力巨大機構の様々な抵抗の中、開発及び生産過程で得た設計及び製造ノウハウなど一連の知財を全て国民に公開。'80年代には一基250

kw、'90年代には1000kwクラスまで実用化し、遂に風力発電に関する世界の中心地としたのだ。また民間によって製造された風力発電は民間に還元されるべき——との原則に沿い、地域毎に風力発電個人所有の社会システムも構築。電力使用に協同組合のような仕組みを作り、電力会社側の隠然たる抵抗にも負けず、使用分以外の余剰風力電力を電力会社に買い取らせる難交渉を達成、個々人が電気を節約することで電力会社から余剰電力代収入を得るまでに至ったのである。またkwアワー当たりの発電コストを'90年代初頭に0.2クローネまでコストカットし石油火力と同レベルとした。途上電力会社による追徴料金徴収の抑圧等を跳ね除け、及び腰だった政府をして、追徴金不当を勧告させるまで方向転換させたそうである。仮に説明に少し誇張があり、私にも若干の聞き損じがあったとしても、まるで「電力社会の幕末維新」のような国民の民度の高さが伝わってくるようだった。ここ四半世紀で欧州4000万人のCO_2排出ゼロのクリーンな電力が定着したのである。

＊

こうした電力維新を可能とさせた背景のひとつにはデンマークの政治の仕組みが指摘できよう。この風力発電のように持続可能な社会の在り方に対し民間が主導し、国家がそれを議論、追認する形態。デンマークの人々にとって政治家は尊敬の対象ではない。主役は民間人であり、国会議員や役人は公僕という至極当たり前の概念なのだ。政党も保守党や社会党など小さな党が10程度。この国では民衆による自主的行為を国家が援助しなければならないため、毎回3～4の小さな政党がいわば案件ごと離合集散しながら与党集団を形成。国民の意思を聞かないと行政が回らない頗《すこぶ》る健康な仕組みなのである。

＊

ところで私のデンマーク最初の訪問は1ドル＝360円の固定相場時代。忘れられない記憶がある。ドイツのリューベックからコペンハーゲン到着時、T／Cの現金化に際し迂闊にもパスポートを紛失した。カードも一般化してない時代だった。困惑極まって健康保険証（！）の日本語コピー（!!）でIDの代替ができないか？――交渉したところ、暫く後OKが下りたのである。我国と異なる官側の捌《さば》け方というか温もりを忘れられない。この国に特別な印象が残ったものである。

今回デンマークに30年以上在住の見識ある知人とも歓談した。この昔の印象を話すと、友人の体験談として昨年（2006年）、空港でパスポートの盗難に遭い、30分後離陸という事態が発生。しかしパーソナル番号（個人の収入等を含む全管理データID）があり確認されれば搭乗OK。領事館出先から代用パスポートを空港まで持ってきたとのことである。どこまでも主役が国民で政治家、役人は公僕なのだ。このＩＤのため誰も脱税のズルもしない、できない。乞食がいたら皆で助ける。アルツハイマーなど加齢の如何に拘わらず病気になれば全額国家負担。イラクなどの移民でも受け入れ、病院患者の50％が移民で全部無償だったこともある。病棟は一般人も大臣も皆同じ相部屋とのこと。公平で全てがタダなのである。

ＧＤＰ世界第2位の日本では老後が心配で貯金に汲々とせざるを得ない。先日も国民を愚弄した「社会保険記録紛失」といった前代未聞の大事件が起きた。民の痛みを感じない他人事のような我国の政治・行政とは似ても似つかない、異次元の社会主義的近代福祉国家のひとつの理想的な姿が見える。ソ連が崩壊しロシアになった時、政府関係者が第一に手本とし視察したのがデンマークだった。最近でも米国の政治家が社会システムの知見を得にお忍びで来訪があったらしい。

その根幹となる教育は小学校から大学まで教育費も完全無償。事情を知っているイタリア人がデンマークＩＤを取得して留学し、無償で医学部で学び医者となり、母国に帰国して開業している例もある。最近さすがにＩＤ取得資格を少し厳格にした模様である。

ともかく優秀だが親にカネがなく大学へ行けないといった悲惨事がないよう、逆に最低限の費用として18歳で親と同居している受験生には国家から3万円、別居の場合は7万円の支給がある。こうした政策を可能とするのは所得税62％、その他の各種税25％で税金世界一。手取りは総収入の13％で生活するのが普通なのだ。

これほどの税率で人間のモチベーションを維持できるのか？　聞いてみた。友人はすかさず一例を挙げ、米国も勝てない世界最大の海運王マースクの事績に触れた。先ず業績年間純利益3兆円でトヨタ以上なのである。彼は想像を絶する巨額納税後、「カネなど少し持っていれば充分」とばかりコペン市内の人魚姫像付近に自費で土地を購入、新オペラ座を建造・完成させ、受け取って戴けますか？——という礼儀を尽くして最近国家に寄贈したそうである。この国ではJante Law（ジャンタロー）という皆イコールの精神が一貫し〝あの人は金持ち〟という概念や感覚が殆どないのだ。少し言い古されたが、彼らはアメリカ車をDollar Grin（ダラー・グリン）と呼び、その派手さ、無駄さ加減を嘲笑うほど質素を美徳として凛としている。

日本が人口比や経済規模からそっくり真似できないのはおそらく正しい。しかし風力発電の例に見られるようにデンマーク人の熱く高い民度の息遣い、物事を地球規模で考え地域で行動する合理性は学べる筈である。我国の政治の衰退、行政の停滞はつとに久しいけれども、この原因の大半は「自分のことしか考えない」我々国民の民度が低下したからに違いない。

No.2

ベトナム、ある若者達の眩しさ

『選択』14　2008年3月

『古今集』の「天の原ふりさけ見れば春日なる三笠の山に出でし月かも」は奈良時代の文人・阿倍仲麻呂（698〜770年）の歌である。博学多才で唐に留学。楊貴妃を溺愛したことでも知られる第5代玄宗皇帝に仕えた。この間、皇帝の絶大な信頼のもと、節度使として安南（今の越南＝ベトナム）に赴き総督を務め、治績をあげたとの史実がある。研究者の中には巻頭の歌はベトナムで詠んだとの説もあるが、ベトナムが古くから中国の支配下にあったことが分かる。

ベトナムは19世紀初頭に中国から独立した。しかし1884年にフランスの支配下、一時期日本の支配も経て、1945年ハノイにホーチミンによるベトナム民主共和国建国。ジュネーブ協定後フランスは撤退したが、今度はアメリカが介入支配しサイゴン（現ホーチミン市）にベトナム共和国を樹立した。その後南ベトナム民族解放戦線が結成されベトナム戦争へと突き進んでいった訳である。ベトナム戦争では300万人が犠牲となった。しかしベトナムは勝ち、アメリカは負け撤退したのである。

戦争とは「補給」が勝敗を決定する――と言われている。補給が途絶えた方が負け、戦争が終了するのだ。日本の戦国時代の「兵糧攻め」もこの原則の中にあった訳だし、第二次世界大戦でも各地の戦線で補給すべき兵隊、兵器がなくなり、燃料もなくなり、更には国内まで飢餓状態となり、国民へ食糧さえ補給できない――という事態に及び我国は敗戦したのである。この原則がある限り、資源小国の日本は「戦争にむいた国家」でないのだろう。

何故ベトナムがアメリカに勝ったのか。メコンデルタ地帯へ行った時、大きな謎のひとつが氷解したように思われた。代理戦争とかで双方の無尽蔵な武器の補給などがあったにせよ、戦車や砲弾など実は二次的な要素だったのではないか?――何故なら南ベトナムの米は年間三毛作、四毛作は当たり前。熱帯に近いため殆どあらゆる果物も採れる。俗に「宵越しの銭は持たない」といわれるが、乱暴な言い方をすれば、手を伸ばしたら果物は何時でも幾らでも食べ放題。川や海に出たら小魚がはねており、釣り糸をたれるまでもなく網で掬えるほど魚も採り放題。砂糖漬け、塩漬け等少し加工すれば保存も問題無い。加えてベトナムの大地は掘れば良質な無煙炭も沢山採れる。製油所や精製技術はなくとも、東シナ海近海では海底油田も豊富で原油に困らない、日本とは全く異なる資源リッチな国である。聞けば有史以来、地震、台風といった天災もない実に羨やむべき土地柄なのだ。アメリカが何年間、何万人派兵しても、最低限

「食料補給」という点では何も困らない相手と戦ったことになる。メコンデルタに佇んでみて、米国撤退の深層と戦争の原則を知ったのである。

一方ホーチミン市郊外70㎞にあるクチトンネル。ベトナム戦争の壮烈な古戦場であり、米軍の枯葉剤散布に対抗すべく、地下に人間ひとりがかろうじて通れる蟻の巣のような形状の複雑なトンネルがある。穴径は極めて小さく両肩や膝を土に擦らせながら潜った。延べ全長200㎞はあるという。蟻道のようなトンネルを這うように進むと、大きな米兵に決然と立ち向かった知恵と戦争の恐怖の生々しさが伝わってくる。

また帰途近傍の象嵌加工兼作品展示場へ立ち寄った。いまだ消えない枯葉剤の影響下で生まれた人達。正視できないほど奇形な四足に近い多数の人間の集団作業場を見るに及んだ。ここでは惻隠の情を通り越し、激しい怒りのようなものがこみあげ充満し立ち尽くした。真のテロ国家とは一体どの国を指すのか？――民主主義の美名の下に、他国へ対し自己の価値観までも強制する米国の政治の驕りに対し、素朴に天誅のようなものを予感させたものである。

＊

最大都市ホーチミン市は、ハノイから来た人（戦勝人）、旧南ベトナムの人（敗戦人）、サイゴンからハノイに逃げ再びホーチミンに戻った人（出戻り人）の3グループで構成されている。

しかしホーチミン市のGDPは首都ハノイ市の2倍以上。市の収入は毎年1兆円に対し支出は1兆5000億円。5000億円赤字であるが、米国に住んでいる300万人ベトナム人が、母国にむけ表ルートだけで4500億円の海外送金をし収支バランスが取れている。その上多数の中華街に根を置いた地下経済の本拠地もあるほど人民にとって生活しやすい場所なのだ。ホーチミンの会社の経営者が従業員を辞めさせたい時「北(ハノイ)に転勤させる――」といえば100%黙って会社を辞めるほどハノイを嫌っているそうである。ホーチミン市経済は日本より遥かに資本主義自由経済の感が強く、ベトナム全体で見ても成長率において中国を上回る昇り龍の勢いなのである。

それにしてもベトナム人は日本人に類似して見える。占領の歴史にも拘わらず、おとなしく且つ我慢強い国民性はどこから来るのだろうか。識字率95%も日本に次いでアジア第2位。レーバーコストで中国を大幅に凌ぐ労働市場環境に対し、韓国の進出が著しく投資額で第1位。日本はその1/10以下である。ホーチミンの韓国領事館が広大な庭園付で威風を放っているのに対し、日本の領事館は庭も何もなく道路に直接面した小さく貧相な3階建てビル。領事館といわれなければ直ぐに通り過ぎてしまう程のいで立ちであった。

*

昨年（2007年）ホーチミンで政治改革を志す飛び切り優秀な国士P君等を紹介された。ベトナムは共産党一党支配の国家。周知の通り、党の運営に専念し表面には出ない書記長、外交担当の大統領、内政担当の首相の三頭政治で構成されている。1988年からのベトナム版ペレストロイカ「ドイモイ」というひとつのパラダイム・シフトが叫ばれながら、未だに宗教の自由、結社の自由がなく、中国以上に公安の力が強い。この分だけ腐敗汚職があるのだろう。「見えざる手」による社会操作の影などでドイモイは遅々として停滞しているようである。

このためベトナムの将来を憂えるP君のような若者が増えている。彼らは優秀な上、非常といえるほどの勤勉家。欧米ほか日本では旧帝大の大学院に国費留学する学生も多い。彼らの日本選択の理由は明快で「made in Japan」に代表される完璧な先端製品に対する尊敬の念である。即ち世界が認める日本一流の製品力とそれを成し遂げる民間力であり、殆ど無いといわれる政治力や外交力ではない。彼らは帰国後、ベトナム現体制へのもどかしさを自らの手で改革しようと行政の中に入る国士でもある。しかし政界に入ると志高い猛者ほど諦観と共に直ぐに離脱する。理由は、現政府の派閥に入らないと何もできないこと、入れば派閥維持のため賄賂に近いもの等を受け取らざるを得ない場面に多々ぶつかる――。

「内部からは改革できない！」との悲痛な訴えで、目が潤んでいた。「カネだけではダメなのです！」との言葉に異様な力があった。GDP成長だけでは「国家の自立」が果たせない、と力説しているのである。彼らは次善の策として高い知見と国際感覚を背景に、外資企業等への良質のコンサルティング業務で経済的体力を付け、その資金で貧困層を束ね、これを梃子《てこ》に今の共産党に代表されるベトナム政治と社会を変えて行きたい旨、澄んだ目で強調した。鋭い眼をした代表格のP君はきれいな日本語で次のようにも述懐した。「ベトナムと日本はそれぞれ中国支配、米国支配の違いがあるものの、日本の自民党はベトナムの共産党といっても何ら違和感のない存在なのではないでしょうか？」

No.3

マイスターへの敬意と理科教育

『選択』13　2008年2月

ミュンヘンでディートリッヒ・フィッシャー＝ディスカウの歌うシューベルトの歌曲「美しき水車小屋の娘」を聴いたことがある。詩人W・ミューラーの質朴清新な叙情性を謳ったものだが、20曲にも及ぶこの詩はひとつの明確な筋を持っている。即ちドイツ中世から続いてきた職人の組合があり、ある職業を志す若者は、先ず奉公に出なければならない。そこで何年かを勤め上げ、主人から許可が出ると今度は同業者の職場を修行遍歴して経験を積む。充分力がつくと、厳しい試験を受ける。そこで合格すると晴れて親方職人（マイスター）になれるのだ。この歌曲の筋は水車動力による「粉引き職人」を志す若者の遍歴への旅立ちから始まるのである。こうしたドイツのギルドやツンフト制度の歴史や仕組みを知って、このドイツ・リートを聴くと、若者がその遍歴の途上で出会う慕情が一段と抒情味を持って伝わる。円熟期のディスカウのバリトンは文字通り名歌手（マイスタージンガー）の雰囲気を彷彿とさせた。

1985年頃、この時ミュンヘン近傍にあるメカニカルシール・メーカー、ブルグマン社(GmbH)の文字通りマイスターのアテンドを受けていたのである。メカニカルシールは遠心ポンプやコンプレッサ、ガスタービンなどターボ機械のシール部分に多用されている重要部品である。ターボマシンは、ケーシングといわれる固定された圧力容器の中に羽根車が取り付いた回転系があり、内部流体圧力によるエネルギー変換で所定の仕事をする。従って必ず固定体と回転体の接点が生ずる。流体が硫酸、硝酸、液体酸素やナフサ、エチレンガスといった場合、この接点（＝シール面）から内部流体が漏洩すると大事故となる可能性が常時ある。一例だが時に新聞沙汰になる石油精製・化学等のプラント大火災の原因の多くがこのメカニカルシールの事故なのだ。「職人」とは実に良い響きを持っているが、この世界でもエンジニアがマイスターレベルになるには10年以上の勉励と経験が必要なのである。

＊

シールメーカー世界最高峰ブルグマン社の副社長兼CTOエアハルト・マイヤー博士は生きながらにしてこの世界で神様視されて来た。彼の名著『メカニカルシール』は私の知っている限り27カ国語に翻訳されており、この方面の「バイブル」となっている。古い友人で学問的集大成者でもある博士のミュンヘン郊外レングリーズにある自宅を訪れたことがあり、表札の前に立った。

1969年以降数え切れないほど訪独しているけれど、ドイツ人の肩書き好きは日本とは比較できないほど。「マイスター」は胸を張って生きており、現在では少し制度疲労が起きているものの周囲から相当な敬意が払われる。ダイムラーもポルシェも皆この仕組みの中で育ってきた。一方ドイツでは「ドクター」も名前の一部。若かりし頃ドイツで或るDr.をMr.と呼んで教養を疑われた苦い経験もある。その徹底振りは名刺だけでなく自宅の表札にまで及ぶ。帰属社会における肩書きに無関係に、表札にDr.-Ing.「工学博士」などのDiplomaを付けるのはごく普通。マイヤー宅も同様だった。因みに大学教授の場合は表札に「Prof. Dr.」とある場合も多い。ドイツの場合、この大学教授も実はマイスター制度と同じ概念に立脚しているといえよう。教授は研究者としての業績を示すだけでなく、親方職人同様、後進の研究者を育成する重い義務も負っている。日本では誰かの推薦でいとも簡単に教授にする大学が数多い。また世の波に浮かぶように、後進の指導などに無頓着にTVのクイズ番組などへ嬉々として出演している教授もいるようである。

しかしドイツではマイスターの資格同様、教授を志す人は先ず修士号を得、次に博士号を取得する。その後、後進の指導力などを含めた厳しい教授資格試験に合格する必要がある。更にこの資格を取得しても、未だ〝教授〟とは名乗れない。所定の大学でポストを獲得後、晴れて「Prof.」と名乗れるのだ。ドイツの大学数は少数で限られており、日本、米国、中国のように

「助教授」や「准教授」というポストもない。「教授」と名乗るにはマイスター同様、かなりの難関なのである。

ごく些細なことであり、取るに足らないことのなかにも定常的なエートスの差異を垣間見る時もある。一例であるが、日本のTVで生物や動物の生態や環境番組等の解説者として博士が出てくる場合。それが欧米人の場合NHKは特に顕著であるが、キャスターは殆ど必ず「Dr.」（博士）を付けて敬称する。しかし同じ番組で日本人のDr.が出てくるとMr.（さん）呼びする。日本で学位を取得したドイツ人もいれば、ドイツで学位を取得した日本人もいる。

何故なのでしょうか？と日本在住のドイツ人に聞かれたことが何度かあるが、無論答えられなかった。また昨年夏、米国の著名な環境学者レスター・ブラウン氏が来日した。日経ホールで講演拝聴後、たまたまブレイク時に氏とロビーで簡単な立ち話をしたので覚えているのだが、その晩NHKの7時半の番組に出演。略歴によればブラウン氏は正式には博士でないけれど、好評といわれる女子キャスターでさえ何故か「Dr.ブラウン」と呼んだのである。

＊

神様マイヤー博士は、エンジニア一家の子として生まれ育った。彼の祖父は発電用水車のマイスターであり、父は30万都市Bochumの水道局技術部長を務めた。彼の叔父は著名な鉄鋼会社Kruppのチーフ・エンジニア、長男もDiplomaでドイツ陸軍司令官を務めた。氏自身は1956年シュトットガルト工科大学で機械工学の修士号を取得後、一旦西独のシール会社に就職。1959年に再入学し晴れて「Dr.-Ing」を取得した。数年間渡米し研鑽を積み、帰国後ブルグマン社に参入。彼のトレードマークになっている「Hydrodynamic Thermal Groove」(シール面における発熱回避のための流体動圧溝)を発案、地方の一パッキンメーカーを世界的シールメーカーに到達させたのである。

マイヤー氏にこの熱低減溝の発想がどこからきたか、レングリーズの自宅で聞いたことがある。氏によればシカゴのシールメーカーで研究していた時の赤レンガ作りの建物は、禁酒法時代にアル・カポネが住んでいたビル。自分の部屋の縦壁にマシンガンの弾痕がアチコチ残っていた。あるとき一筋の弾痕の壁表面と溝底部に温度差があることにヒントを得たとのこと。これを実際の形にするのに数年、製品にするのに更に数年、市場に受け入れられるのに更に数年の汗、合計十数年の歳月が流れたとの述懐があった。

技術に文化の香りがするまで長時間かかる事情は我国でも同じである。半導体、バイオ、環境、エネルギーなど領域の如何に拘わらず、一般に難しい(?)といわれる「理科」を理解し、地道な努力でキチンと学問を積み、専門を身につける。そして、帰属社会で信頼と実績を獲得し、見識・力量とも一般人のレベルを遥かに超えた世界に通用するマイスターのような至宝のエンジニアは日本にも沢山いる。この意味で日本はおそらく世界一であろう。

しかし我国では中国のように国宝級の処遇がある訳でもなく、ドイツのマイスターのような敬意も払われてもいない。享楽的、投機的、スポーツ的、また他人の褌で相撲を取る虚業とでもいうべき各種ビジネス。特にこうした領域にマネーや富の流れが顕著な社会である。

一例として名門大学の理学部や工学部で、その基礎学問を身につけているにも拘わらず、卒業後、銀行や証券会社へ就職するのもひとつの証左といえよう。ついでながら旧帝大の理系でさえ、最近では将来の就職が難しいとして大学院博士課程の募集定員割れがおき、中国人などがそれを補填している現実がある。このような現代日本の風潮の中で、子供達への理科教育不足が声高に叫ばれている。しかしこうしたメディアによる理科教育振興への喧伝は綿裏包針《めんりほうしん》の譬《たと》えの如く、子供への「虚構」というより「詐欺」に限りなく近い。子供は大人の背中を見て鋭く将来を模索しているのだ。世界に通用する、ハイレベルなエンジニアへの不適切でない処遇や、マイスターという呼称のような敬意が払われるだけで、メディアの喧伝に無関係に、子供達の多くは目を輝かせて自然と理科へと進むであろう。

No.4

ドバイの光と影、地域の発展性

『選択』18　2008年7月

　ロンドンの名門ホテル「クラリッジス」で友人とロビーで待ち合わせたことがある。'80年代中頃、その日は一種異様なイスラム・アラビアの雰囲気。ロビーは頭に白色スカーフ〝ゴトラ〟と黒の紐状の輪〝イガール〟、純白の裾の長いワンピース〝デシュダーシャ〟を着用した正装のアラブ人で溢れていた。コンセルジュは「ロビーはご覧の通り白一色。上の階は黒一色」といって両肩を窄めてみせた。広い螺旋状階段をあがったフロアには黒色スカーフ〝ヘジャーブ〟、黒色ワンピース〝アバーヤ〟を着たご夫人達で溢れているとのこと。彼等愛用のこの最高級ホテルは全館全部屋が貸し切り。シェフはじめ料理人の総てがアラブからきている――と語っていた。或る試算（JETRO元リヤド事務所長・前田高行著『アラブの大富豪』）によればアラブ石油資本は米国ビル・ゲイツもインドのタタ財閥もぶっ飛ぶ、1京3000兆円。世界第一級のロンドンのホテルで、このような振る舞いができる民族、する民族としてアラブ人の存在が脳裏に焼きついた最初の出来事であった。

　2008年春、急激に発展するUAE（アラブ首長国連邦）のドバイ、アブダビなど4首長国を所用で訪ねた。元アラビア石油の方など友人はいるのだが、初訪問では六十何番目かの国とお断りして随想記としたい。ここは1971年の独立まで、インド・ルピーが通用していた国家である。私のパスポートにはイスラエル入国のスタンプも押印されている。アラブ諸国大半はこのスタンプがある場合入国不可であるが、UAEは可とのこと。「規制の少ない社会」が発展のエンジンになっている原則を予感させた。

ドバイはラスベガスのように砂上に造った人工都市が、香港のように海岸に面してあり、そこに上海を想わせる建築ラッシュとフリーゾーンといわれる巨大な経済開発特区がある――といったイメージで、「地域の発展性」を考えさせる旅となった。都市空間として特別に目立つのは2010年完成の超々高層ビル『ブルジュ・ドバイ』。高さ820m前後の模様で米国シアーズタワー（527m）を遥かに超える世界一。日本の横浜ランドマークタワー（296m）の3倍弱の高さを有するスカイ・スクレーパーである。機密裡に進む建設現場を今春、関係筋の特別な取り計らいで見せて戴いた。作業用エレベーターを乗り継ぎ地上550mへ。地震は殆どなく「耐震」は特に考慮の必要はないらしい。外気常温40～50℃なので暖房設備も無いらしいが制空権を支配している感が漂う。基本設計はシアーズタワーと同じSOM、いわゆる元請(Main Contractor)は韓国＋ベルギー＋UAEのJV3社だが「主」は韓国サムスン。電子で有名なサムスンの建築技術もかつて日本の大手建設会社が教えたものである。我国の外交折衝力不足により「天下のアラビア石油」も石油利権共々事実上消滅したことは記憶に新しい。日本はここでも首長国王とのロビー外交不足を含めた政治的非力もあるようで、韓国の後塵を拝すサブコンのレベルに甘んじている。民間の痛みや企業の悲鳴がこんな所にも聞こえてくるのだ。眼下にはペルシャ湾岸に突き出るように、ドバイを象徴するナツメヤシ形状の『パーム・ジュメイラ』という名の奇抜な巨大人工島と別荘群。その円周リンクには点在する7ツ星級の建設中ホテルが見えた。

＊

埼玉県ほどの広さしかないドバイ首長国。首長シェイク・ムハンマド（王様）は'90年、未だベドウィン（砂漠で遊牧するアラブ人）主体であったこの地域に対し、「現状8㎞の海岸を5倍にしろ！」と下命した。周囲が知恵を絞った結果、海に突き出た人工島が発案され、採択され次々に建築施策を推進。ドバイに世界の富裕層が集まり買い手が殺到し、インド、ロシア、英国など大富裕層は節税対策、小金持ち達は投資へと走っている。『パーム・ジュメイラ』などは一棟数億円レベルの別荘2000棟が発売後72時間で完売した。他方ジュベルアリ（物流の大拠点）地域に140カ国6600社を進出させ、遂には地球をかたどった巨大人工島を湾岸沖合いにテイクオフ。内陸にはパナマ運河より長い全長世界一80㎞の運河計画、また2007年から世界最大の空港を着工させ、東アジア、ロシア、ヨーロッパ、北アフリカの流通のハブ化を目指し、何事にも世界初及び世界一に拘った西アジアの地域発展構想が進行中。ハコモノを作ればビジネスは後からついてくる、といった大胆な都市政策を進めている。

一方、人口にしろ経済にしろUAEなどアラブ諸国の政府発表の統計はIMF（国際通貨基金）などでも信用されていない。1970年以前のベドウィン主流時代から人口調査がなく、世界からドバイへ巨大資金流入があるものの、絶対王政のため額面等は全く不明。何事につけデータベースがなく、領収書等も原則不要の国なのである。各王様の年齢も定かでなく、市井のドバイ人と会話しても例えば「私は約40歳」といった返事が殆どであった。

石油立国でないドバイが明確なF／Sもないのに現実に発展しているのは、飲酒OK、豚肉OK、露出OKといった「イスラムの壁」に風穴をあけたことが大きいのであろう。その上、宗教や信仰の自由があり、外国人の土地私有権認可、住居購入だけで米国グリーンカードのような査証発行、若干の仕掛けがあるにせよ外国人でも所得税、消費税、固定資産税など全て無税の積極的外資導入政策。こうした規制緩和と柔軟性がサウジアラビア、クウェート、カタール、バーレーンなどに差をつけ、流通のハブ化に成功しつつある。しかし情報のグローバル化で世界がフラット化する中、石油収入に依存しない建設と開発との自転車操業は不動産供給過剰とリンクしてクラッシュすることも予想される。建築完売のビルでも45％は空家同然の噂も絶えず、バブル期の「いつか来た道」を連想させた。

他方アブダビは一例であるが、国民の男子が25歳になれば３０００㎡の土地に８００㎡の２階建て新築住宅が無償支給される。「今日から一滴の油が採れなくなっても２００年間はこうした施策を続けられる」と豪語するアブダビ首長国のシェイク。ドバイで活躍するオマーン出身の王族のひとりと対話した。「アブダビとドバイの王家間のキズナは極めて親密で強固」とのこと。一方でアブダビは舎弟格ドバイの進取性に不快感もあるようで、この葛藤の程度がドバイの将来を左右する、との発言もあった。

それにしても「地域の発展性」に関する事実は他国を巻き込んで重いものがある。以前何かで読んだだけなのだが、某シンポジウムで東南アジア経済学者の発言として伝えられる言葉は傾聴に値する。「東アジアの面々は生産ばかり研究している。モノは勤勉でありさえすれば手に入ると思い込んでいる。東南アジアの面々は分配ばかり研究している。モノは寝ていても庭にぶら下がっていると安心しきっている。西アジアの面々は流通ばかりを研究している。モノはどこからか持ってくればよいと高を括っている」。

No.5

ケンブリッジの当たり前の次元

『選択』15 2008年4月

「日本のメーカーに未来はあるか」という主題で英国ケンブリッジ大学から招待講演を依頼されたのは1996年晩秋のことである。長期間にわたるバブルがはじけた影響で当時の経済指標を示す諸数値が最悪の状態。いわば日本経済が打ちひしがれていた最中であった。

メーカーで重厚長大から軽薄短小までモノ作りを経験してきた。しかしそうした経験を踏まえ、日本のモノ作りを分析しても、かえって抽象的な知見しか得られず説得力に乏しい。それよりも宇宙船地球号日本丸的な「地球規模から考えた日本の未来」という視点が必須であり、この方面の知見が備わっているかどうか自問自答したものである。その訳は、大阪ガス・エネルギー文化研究所の倉光弘己氏が中心になり纏めた一大調査報告書「ジオカタストロフィ（地球規模の人類の破滅）」（CEL. Vol.18 Nov. 1991年版）、およびマサチューセッツ工科大学（MIT）スローン経営大学院のシステム・ダイナミックス・グループにより纏められたプロジェクト『成長の限界』の改定版『限界を超えて』（1992年版）の2冊によっている。何故なら当時この和洋両書によって、人類生存の可能性希薄化についての重い衝撃をもたらしていた時期だったので。

地球の限界という形で、人間の生存の限界を実証する深刻な客観的データや推論の信憑性に関する圧倒的な迫力を両書は持っていた。後者では特に為政者達が旧態依然とした「経済成長何%のお題目」を公約に掲げ、それを周辺の御用学者達が体裁を繕っている空しさ、稚拙さについても言及している。この両書は、突き詰めていえば（このままなら）「人間の存在理由は喪失」し「〝今の〟人類が滅びた方が、地球が元の美しい地球に戻れる」――という強烈なメッセージを発信していた。講演に際し、いわばこうしたカオスの中の秩序とでもいったものを見出せず躊躇があった。しかし大学側も私の煩悶は織り込み済みだったようである。友人の勧めもあり「招待講演」だと割り切りロンドンから列車に乗ったのである。

＊

講演はケンブリッジ大学の日本研究センターで行われた。聴講者はアングロサクソン系同センター研究生と指導教官（チューター）に加え、経済学部大学院生、客員フェローの資格で在籍していたシンガポール、インド、中国、台湾、日本の大学教授など国際色豊かな数十名。

マイクロマシンなど先端技術にも触れ「匠の国」のモノ作りとその精神など言及したつもりであった。Queen's Englishが標準の中で、白洲次郎流のアフェクティションなどとは程遠い、

訥々たる講演2時間。途中コーヒーブレイクでなく完全なワインブレーク。講演途中に？　と、少し驚いているとチューターは、

「ケンブリッジのユーモアです」

――とのこと。苦し紛れに、

「これはフランス・ワイン？」

「いいえケンブリッジ・ワインです」

グラス片手に僅かにたじろぐやつがれに対し、矢継ぎ早に質問が飛んだ。

彼らにとって量産数などで世界最多の時計メーカーとして認識されているセイコーのＣＴＯという立場もあったかもしれない。半導体など日本の先端技術メーカーは、ドングリの背比べのように、どの会社も同じようなＲ＆Ｄ計画に夫々同じような投資をしている。「何故協力して日本連合軍を構築し対海外戦略を組まないのか？」「国家全体を考えたとき縦型共同体社会の利点は何処に存在するのか？」「(彼らがあると思っている) 国家戦略に各大企業はどう関与しているのか？」「優秀といわれる日本の官僚は現状機序に対しどう仕掛けるのか？」――といった

質問としては豊穣な内容で、ワインブレークの時間はあっと言う間に過ぎてしまったのである。

ブレーク後の後半の講演も質問は延長され、予稿集はかなりスキップしたまま終演。地球環境マターもあるにはあった。しかし若い研究生から「日本は特許、特許というけれど、もっと普遍的価値に対し貢献すべきではないか」といった類の質問が多数あった。例を挙げ「ニュートンからホーキングに至るまで基礎科学の原理など人類共通の普遍的価値を有する知的財産。こういった普遍原理を特許に換算した場合、日本はただ乗りである。もし我々が特許料を請求できたとしたら破産するのでは？」——といったキツイご意見もあった。

いつだったかケンブリッジ大学で「在学中に研究したものは全て失敗」という論文が博士論文の中の最優秀賞を受賞した。この論文は研究したものがなぜ、どうして失敗したかを克明に分析したペーパーである。「失敗の研究」を評価する大学の柔軟性が凄いのである。このようなことは日本の大学ではありえず、あってはならず、文部科学省からの研究予算も下りなくなるだろう。失敗したものでも成功したことにしないと次に継がらないのだ。ここが一流と三流の分水嶺。外国への安っぽい献金など最小限とし、カネのある内に研究者の縮み指向の撤廃と、競争的資金の全体最適に向けた政策的誘導が問われている。ケンブリッジ大学のこうした学問や研究に対する柔軟な姿勢が、例えばノーベル賞受賞者数で大学世界一の名声を獲得しているのであろう。

＊

重い議論の交換だったが大学側は満足げで再度の講演要請もあった。宿舎としてニュートンが学んだことで有名なトリニティ・カレッジの、或るゲストハウスが用意されていた。途上チューターはこのカレッジに付置された湖畔に静かに佇むレン図書館（The Wren Library）を案内してくれたのである。ここはロンドンのセントポール寺院などを設計した建築家サー・クリストファー・レン（Sir Christopher Wren）が、トリニティ・カレッジのために設計し、1695年完成した図書館。学内に多数ある図書館のひとつだが、ここだけでニュートンの余りに著名な『プリンキピア（自然哲学の数学的諸原理）』、シェークスピアの四大悲劇のひとつ『マクベス』などの原典、フランシス・ベーコンやバートランド・ラッセルといった世紀の哲学者達の書籍や使用したペン、英国の最大富豪ロスチャイルド家の文書コレクションなど、知能発電所として異次元の圧倒的重量感があった。

また用意された宿舎は古城然とした特別な貴賓室。そこは2週間前までチャールズ皇太子が滞在していた広いスイートルーム。執事によると1年前まではダイアナ妃も一緒に寝泊りしていたというトポスなのである。8m程の高い天井と年代ものの家具付きの広い居間。ダイアナ妃も共に就寝したであろうそのダブルベッドの高さはかなり高く1.7m以上。やつがれも脚立を使ってよじ登り、「大学」が持つ桁違いの全体像に何度か寝返りを打ちながら就寝した。12世紀の大学創設。日本の源平合戦の時代であり、学内に警察権もワイン製造権もあった。現在の名誉総長はエリザベス女王の夫君エジンバラ公である。

翌日チューターは私を見送りながら語った。

「ここから首都ロンドンまで約90㎞。実はケンブリッジ大学が所有する土地だけを通ってロンドンまで行けるのです」。——トリニティ・カレッジの〝college〟も「修道院のような学寮」という意味で、日本の単科大学という意味ではない。日本の大学も〝University〟と訳してはいけないのかもしれない。

No.6

ユダヤ人と起業と頭脳競争

『選択』34 2009年11月

アメリカの51番目の州と言われるイスラエルへの初訪問は1997年の夏。フランクフルト発ルフトハンザ航空686便だった。空港の奥まったC—23はテルアビブ行き特別専用ゲート。何か戦場に臨むような暗い空気が漂う。搭乗客全員に対し異常といえるほどの警備があった。手荷物は無論、機体に預けるスーツケース、所持品の全部が、目前で開封させられる。女性の下着類の全部もステンレス製の検査台に載せられた後、男女それぞれに分かれて厳重なカーテン内でボディチェックへ。周辺には機関銃を両手に持ったドイツ兵士。クリントン大統領のイスラエル訪問を報じていた時期で特別にタイミングが悪かったのかもしれない。日本赤軍によるテルアビブ空港乱射事件から既に25年（初回訪問当時から数えて）。事件のイメージは今なお強い。初回訪問時は緊張したけれど、入国すると諸外国と変わらないごくフツーの形而下の世界であった。テルアビブはヘブライ語で「春の丘」の意だそうである。

空港にはアモス・ガノール元駐日イスラエル大使が迎えに来てくれていた。彼の運転する車で市内に入ったのである。ガノール氏は1931年テルアビブ生まれ。苦学して大学で経済学を学び外務省入りし、デンマーク等の大使を経て駐日イスラエル大使として赴任した方である。当時の著者は一応の大企業役員だったけれど、特に懇意でもない一民間人に対し「元」とはいえ駐日大使から、先端技術各社や著名なワイズマン研究所の要人達をご紹介戴いた。

翻《ひるがえ》って我国・外務省の元駐在大使が一外国人の訪日に対し、大局的立場に立ち、日本の産業・経済発展のため、自国の会社や大学や研究所を案内する方がいるであろうか？ またそうした振る舞いが出来るであろうか？――そこにはイスラエルという国の競争優位に向けたベンチャー創出政策や成功要因の一端が垣間見られた。

＊

シャローム！ という言葉が随所で行き交う。ヘブライ語で「こんにちは」だけでない平和、安全、繁栄、お元気？ といったニュアンスなど総合的で広範な挨拶の意味を含む。そのほか目立ったのは、Ｙｅｓ（ケン）とＮｏ（ロー）と議論（！）。ガノール大使は私をハイファにあるベンチャー集団の巣窟までも案内した。我国では起業の為のベンチャー創出政策というと、直ぐに豪華なハコモノ（ビル）が建設・用意される。官側に〝ベンチャー創出〟の真の意味が解っていないからなのであろう。しかしハイファでは畳３畳ほどのウサギ小屋群ともいうべき使い古しのビルがあちこちに有り、全てがベンチャー・インキュベータ。イスラエルではハコモノにカネをかけずに、技術やマーケティング等のソフト面の支援に重点が置かれる政策的誘導がある。自国ほか米国の軍や民間の資金を元手に、多くの研究開発に取り組んでいた。デファクトスタンダード（世界標準）にもなったパソコンの「ファイアウォール」や、暗号化技術、画像科学から医療機器、米1粒の半分程のサイズの高性能マイクロホン開発等々。

一例だが、10畳一間の天井のコーナーにそのマイクを点付けしただけで、当事者しか聞こえない極小声量の会話内容も100％傍受及び再生可能。――当然メカニズムの質疑となる。余談だがこの会話の途上、窓の隙間から熊バチが1匹飛来し天井で旋回しだした。すると研究員は議論を中断。唐突に「ハチの体重を知っているか？」、続いて「ハチの最高飛行速度は？」、「瞬間移動限界は？」といった按配で次々と話が展開していく。議論嫌いではないけれど、かなり参った。そして遂には「体重と速度からエンジンに換算したら何馬力となるか？」……。ともかくひとつの事象に対し自己の見解を議論したい、聞いて欲しいといった「考える価値観」重視の姿勢が色濃く伝播する。また「pass over」とでもいうのか、我国では「厭なことは伝えたくない」といった気持ちが全面に出る。従って家庭内でも会社でも国会でも、何事も十全な議論がなされない。我国では「首相がこう言った」「これは社長の意志」だけで全ての議論は止んでしまう。一方ユダヤ社会はフラットな社会。帰属組織の上下関係に無関係に〝そのテーマ〟

の議論は続く。自己中心的側面も無くはないが個人主義が極まっているのだろう。しかし性格は概して楽天的。組織内では賛成でなくとも最後はトップの決定には従う忠誠心も見て取れた。また物事に対し日本人は直ぐに先を計算し、95％ダメと判っているものは諦める。しかし彼等は95％ダメでも5％に活路を見出し、「never give up」の精神で延々と臨界点へ向け思考・議論する態度であった。ユダヤ人は「ダメだったらどうしよう」と考えずに「上手く行ったらどうしよう」と考える民族に見えたものである。

＊

イスラエルの起業家創出の成功要因は、こうしたユダヤ人の性向と何事も敗者復活を認める粘り強い土壌があるからだろう。約2000年間も国家、国土を持てなかった流浪の民ゆえか、綿々と伝播する粘性質のユダヤ精神の根幹を見る思いであった。

その最たるものは理工系重視の教育投資政策。国民皆兵国家。男子18歳で3年、女子で約2年の兵役義務があるけれど、この期間中にITの訓練でおそらく世界中のどの専門機関より高度で深い教育が施行される。従って兵役終了時には既に高度なIT科学技術者レベルとなるのだ。更に『タルピオット』という名の、どの一等国にもある少数精鋭の超エリートコースもある。平均的優等生ではダメで、長所がひとつ卓越していればそこを評価する雰囲気が漂う。2

米国を除くNASDAQ上場企業

NASDAQ(2007),Analysis−Invest in Israel

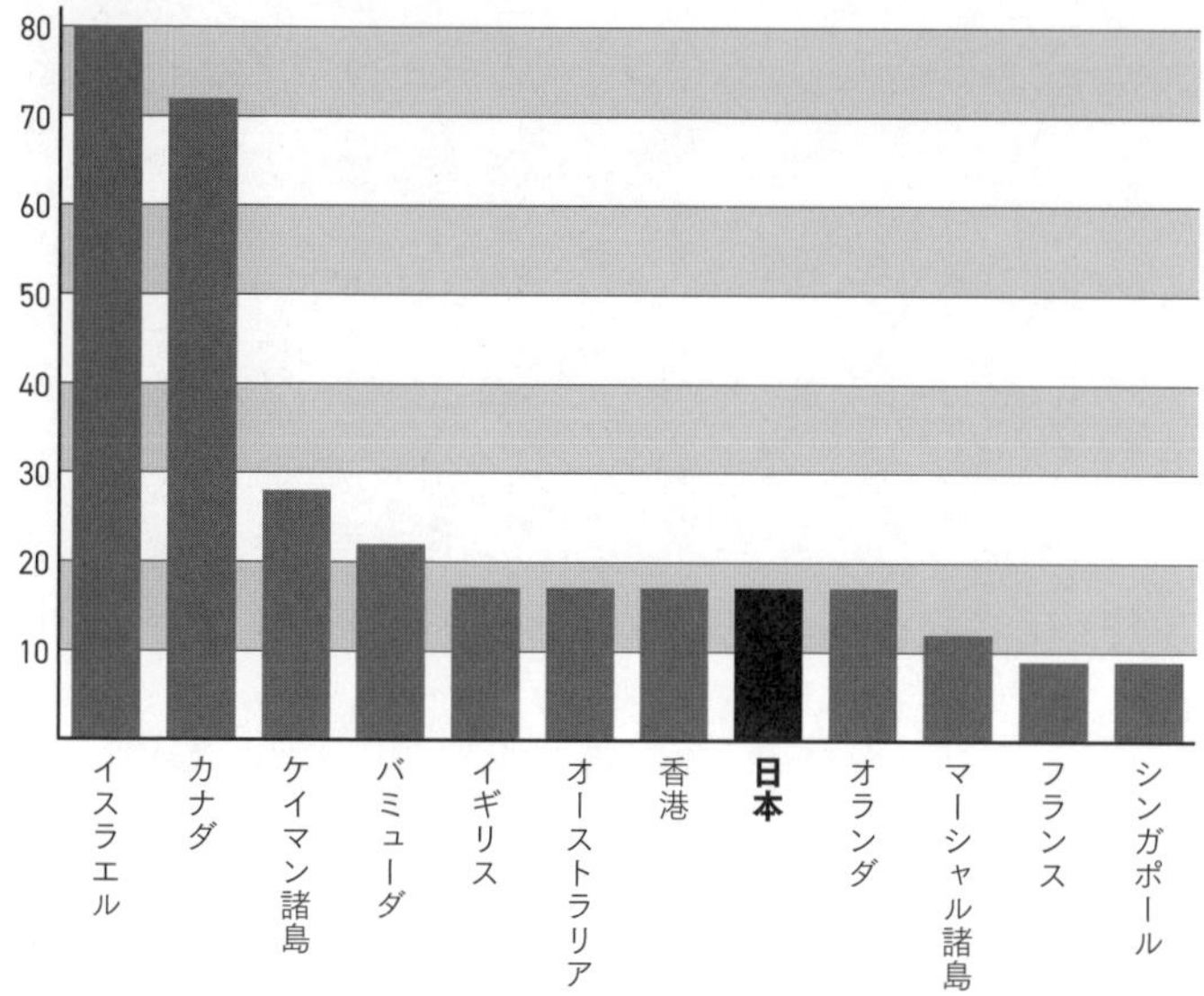

００７年のデータだが、人口７００万人程度の小国ながら人口１万人当たりの科学技術者数は１３５人で世界有数の高率。開発重視の姿勢は「ＧＤＰに於ける研究開発投資の比率が4.8％で世界最高」、米国外で「ＮＡＳＤＡＱに上場する企業世界一」など数々の実績をあげ、ベンチャーを含めたＩＴ企業数はシリコンバレーについで世界第２位なのである。ハイテク立国を目指し、軍事から民需への技術移転、ソ連崩壊に伴う大量のロシア系ユダヤ人科学技術者のハイレベルな移民吸収策も奏功。日本とは比較にならない理工系教育への政策的誘導、最先端イノベーションで成果を出すイスラエルの知性

が、世界から投資を呼び込む要因なのだろう。「製造」を棄却し「開発」一本に集中した技術立国戦略の針路が見える。

ガノール大使も日本人の特性を知悉しておりwin―winの「平等互恵」構築を物静かに強調した。同席した米国留学組の若きユダヤ人S君は、「米国の高等で厳しい学問や研究に付いて行けるのは実はアングロサクソン系米国人ではなく、ユダヤとオリエントだけ」。そこから飛躍し「ユダヤ人が考え、日本人が作る協業が世界一」とまで言った。すると日本滞在経験のあるK君は「日本人の純潔主義、これを改革、排除しない限り起業家は育たない」と述べ、またまた辟易するほど議論が続いたのである。問答無用でなくもっとオープンに良質の議論を深耕すれば、優秀な人物が多い我国は再浮上の機会がまだまだあるのだろう。

No.7

南アフリカの先端と順応

『選択』32 2009年9月

異業種文化交流の草分け的存在のひとつ『横浜朝飯会』。以前、慶応大留学生だったガーナ人アサモア氏とここで知り合った。西アフリカに位置するガーナは独立以前〝Gold Coast〟（黄金海岸）と呼ばれ、1850年英国植民地となり1957年独立したれっきとした共和国なのである。しかし彼は日本人が西欧人に対しては「貴方はドイツ人、彼女はスイス人」——といった言い方をするのに対し、アフリカから来た人には纏めて〝アフリカ人〟と呼ぶことにショックを受けた、とシミジミ語っていた。無宗教の為か、士農工商の名残か、日本人は「自分より上か下かで相手を査定する」強い性向がある。アフリカには54の国家があるのだ。ウガンダ（UGANDA）やルワンダ（RWANDA）、またザンビア（ZAMBIA）、ナミビア（NAMIBIA）、ガンビア（GAMBIA）等の国の位置を言える日本人は極めて希である。この中にあって他のアフリカ諸国に比し、白人比率が圧倒的な「南アフリカ」は日本では比較的知られた国といえよう。

10年ほど前、スキャニング応用技術で課題を抱えていた時。英国から南アフリカのCSIR

（科学・工業研究評議会）でハイレベルの研究をしているとの情報が入り、ヨハネスブルグ経由で首都プレトリアへ行ったことがある。ＣＳＩＲは日本の理研と産総研の機能を併せ持った政府系第一級研究開発機関である。

＊

当時ＣＳＩＲではＲＦＩＤ（電波による個体識別）のためのＩＣ（集積回路）タグ（標識札）＝略称ＩＣタグの研究も実施していた。一般的な電磁誘導方式に対し、より遠方のタグとの通信を可能とする電波方式による記憶素子の研究で先端を走っていた。一例だが、町のスーパーの会計時にもよく利用されているバーコードは、人が意図的にバーコードをリーダーに近付け、読める位置まで手で持ってくる必要がある。これに対しＩＣタグは読み取り範囲が広く、読み取り方向の自由度も頗《すこぶ》る大きい。これが普及すれば、省力化は大幅に進む。スーパーの精算の在り方は変わり、万引き防止も含め、購入したもの全部をカートに投げ込み、ゲートを潜るだけで一括会計が可能となる。またＲＦＩＤのタグは「読み取り」だけでなく「書き込み」もできるので、スーパー等への適用だけでなく、履歴管理、生産管理など商品・部品のトレーサビリティ（跡をたどること）、ＳＣＭ（サプライチェイン・マネジメント）の他、多くの用途展開の可能性を秘めている。

何回かのミーティングの後、D博士は開発した試作品が機能しているか否かを示すため私をヨハネスブルグにあるスーパーへ案内した。アメリカの都市によくある巨大ショッピングモールなどと同等の広さであり、〝極めて僅かな商品〟を除いては全て機能した。

ICカードはカード型の形状にICチップを、ICタグはラベルやキーなど様々な形状のものにICチップを埋め込むことは共通。暗号処理の有無など決定的違いがあるけれど、前者は磁気カードを、後者はバーコードリーダを進化させる概念から出現したものである。ICカードを発明したのは日本の技術者・有村國孝氏。世界に先駆けセキュリティを思考基軸とした先見性は光る。この世界市場を手の平に載せるべく、〝乗るバス〟を考案したのだ。しかしバスを普及させる面では主として行政の無為により欧米や南アにも遅れを取った。

日本という国はキャッチアップ時代のように、外国から自分を映し出し「何とかしなければ」といったモードの中では優れた対応力がある。しかし「自分が上か下か」の上に立った時、社会改革や、世界を巻き込んで国際的に主導することが非常に苦手である。ICタグも同様、仕組み普及には、ギガレベルのシステムのコスト大幅低減、心臓ペースメーカーを付けた方々等への電波障害、省力化に伴うレジ作業員の職場消滅など全体合意が得られるかどうか？——電波法や個人情報保護等、個人や民間では解決できない国レベルの複雑系を孕《はら》む課題が山とある。

だからこそ政治・行政が世界に先駆け方向を示し、〝世界の人々をバスに乗せる〟戦略を執行する良い機会なのだが、総務省を中心に腰が引けている感があり、タグの協会さえない。

＊

ＣＳＩＲとの面談後、英国系のＤ博士に誘われ、白人専用のレストランで会食した。殺人事件の多発で世界的に有名なヨハネスブルグは、失業と倦怠と犯罪の渦巻く治安の悪いエリアが多い。近郊には世界一深い地下3.5㎞も潜れる金鉱山もある。富士山を逆さにした深さである。この深さでは地熱で壁の温度60℃、湿度１００％らしい。他方この店内にいると環境も雰囲気も米国西海岸にいる錯覚をおこす。彼は言った。「シリコンバレーの科学技術者のかなりがプレトリアに来ている。ここは地球軸で地表を１８０度反転した場所に位置し、快適な気候も西海岸と同じ上、物価が3分の1」なのである。また「今この時点で、シリコンバレーよりプレトリアに住んでいるノーベル賞受賞学者の方が多い」とも述べた。――お邪魔した博士宅の広々したタウン（白人居住区）の山の手邸宅群とは対照的に、かなり遠方にタウンシップ（非白人居住区）の不揃いなトタン屋根の集合体が夕陽に鈍く照らされていた。彼は、オランダ系アフリカーナであるデクラーク前大統領の才覚や計算、アパルトヘイト（人種隔離政策）の撤廃、27年もの投獄生活に耐えたマンデラ大統領の精悍さ、及び政治的したたかさが、双方の思惑を超えて大転換が実現したのだ、と手短に説明した。また「南アの経済力の98％は相変わらず白人の手中、ついこの間まで黒人は義務教育さえ無かった」と付け加えたのである。

政治的話題はともかく「先住民達は何を食べているのか」聞いた。すると他国から幾つもの種族の流入があるので一概に言えない。「蛇やサソリを食料にしているのは驚くに値せず、少し北へ行けばサルの肉を常食にしている種族もいる。また矢尻を使って牛の首筋から鮮血を受け、それに牛乳を混ぜたイチゴミルク状液体を食している部族もいる」らしい。しかしこのことで彼らを一概に野蛮であるとは言い難いであろう。我々がこのステーキで蛋白質を取るのと同様、熱帯林地方ではそこに住むサルを捕獲して食べ蛋白質を取る。旱魃地帯の種族は止む無く〝イチゴミルク〟から蛋白源を採取する、のである。何が野蛮で何が野蛮でないのか、ここでのステーキは格別な味がしたものである。

何日間かのプレトリア滞在の最後、CSIRでの面談を終了し車に乗り込んだ。緑溢れるキャンパスの中の車道を走り出そうとした時である。道路の中央で野生の孔雀が直径2m以上もある美しく鮮やかな羽を広げた所であった。運転手は何度か軽くクラクションを鳴らしたが、孔雀は逃げる様子もなく行く手を阻んだ。彼女は「そんなに急いで何処に行くの？ もっとゆっくりアフリカを満喫したら？」――とでも言っているようであった。

No.8

ミュンヘン市庁舎市議会堂の大絵画

『選択』44　2010年9月

Zu meinem Bedauern ist an Ihrem Wagen ein Schaden entständen. Selbstverstandlich hafte ich dafür. Bitte rufen Sie mich unter folgenden Nummern 1234567 an.

ミュンヘンは筆者にとって懐かしい町である。2度目だったか1970年代半ば、ある日レンタカーを借り、市内のホテルに泊まり翌日でかけようと車に近づくと、フロントガラスのワイパーに紙切れが挟まっている。

「貴方の車を傷つけてしまいました。修理代をお支払いしますので、下記の電話番号にご連絡を下さい」——といった内容であった。同じ敗戦国なのに当時の日本、少し郊外に出れば、車もまばらで舗装道路も少なく、わき目も振らず復興途上だった日本に、このような市民レベルのモラルが僅かでもあっただろうか？　と心底思い、この出来事でいっぺんにミュンヘンが好きになり、ドイツのファンになってしまった記憶がある。後年ドイツ皇帝による「黄禍論」ではないが、驕れる欧米人の対アジア人への深層心理を肌で知り、相手が日本人と知っても同じ振る舞いをしたか否かは不明のままなのだが。

ともかく約40年間、ドイツへ数え切れないほど来た。特にバイエルン州都ミュンヘンは12世紀以来、ヴィッテルスバッハ王家の特別な庇護のもと、芸術や文化が栄えた町であり、アインシュタインが幼少から15年も生活した街でもある。古いドイツ人の友人もいて、夏場は鬱蒼とした森の中の『アウグスティーナ・ケラー』といった有名な大ビヤーガーデンで何度か語り合った。またS―バーンに乗り十数分も行くと直ぐに森になる。ドイツは静かな「森の国」なのだ。友人宅の温泉で汗を流し、地下のワインケラーに降りて行き、ついでにチーズを択ぶ。ドイツ人は洗濯物を地下に干す習慣があり生活が丸見えであった。

＊

8年前頃のイラク戦争勃発時、別の友人のマイスター宅において。シュレーダー首相が、米国による大量破壊兵器にかこつけた乱暴なイラク参戦要請を拒絶した話題に及んだ。彼は大多数のドイツ市民の戦争拒否を敏感に察知。米国追随をキッパリ反転し再選された話に花が咲いた。戦争で人を殺すことは、普通の殺人を犯すことと何も変わりがない、と考えている信心深い無宗教者のやつがれには、後方支援か何か知らないが、同じ敗戦国で同じGDP優等生、我国と何故こうも決論が違うのか？――と大惑不解しつつ料理を戴いたこともあった。

人生には「上り坂、下り坂、まさかの坂」の3つがあるというけれど、古い友人もこうした坂を下り何人か他界した。

機会あり今春久し振りにミュンヘンを訪問した。相変わらずネオ・ゴシック様式の壮麗な新市庁舎（ラトハウス）前のマリエン広場は賑っていた。昔「ヨーロッパ最強の男」と渾名《あだな》されたバイエルン首相フランツ・ヨーゼフ・シュトラウスの、記録で見るヒトラーばりの迫力ある演説もここで聞いたことがある。今回、バイエルン在住40年のエトリッヒ澤村女史の薦めもあり、市役人の説明付きで市庁舎内部を見せて戴いた。外見同様、内部の建築様式も重厚でクラッシックな感じが漂っている。

市議会堂に入った瞬間、凸型をしている大壁画が目に飛び込んできた。長さ約33m、第1段目の高さ6m、頂上部が2mほどだろうか。絵画名は『モナキア』(Monachia)。1867年（日本の明治維新）以前、ミュンヘンに貢献した重要人物128名が壁画いっぱいに描かれている。中央の伝説上の女性、表情がどこかデフォルメされたようなミュンヘン守護神モナキアの左手前方に、一際目立つ当時の7大ビールメーカーの首領格で緑のベレー帽を被ったプシュール。右手にチロル・ハットを被った「筏造り《いかだ》」のマイスターであるハイス。この絵は「王家からの自由と解放」を表現しているそうで、モナキアと企業家とマイスターといった代表者3名で絵の骨格が形成され、バイエルンの王家、貴族、軍人、市長、政治家等はその周辺に配置。「市民が主役で公僕が脇役」であることを強調しているように見えた。

*

この画家はカール・ピロティ（Carl Theodor von Piloty）。世界一美しい城といわれるノイシュバンシュタイン城にある「歌人の広間」の〝魔法の森〟の作者でもある。彼は1826年に石版画家の子としてミュンヘンに誕生。14歳でミュンヘン芸術大学へ入学、歴史絵画も学び、王マクシミリアン二世（ルードウィッヒ二世の父）の企画で『カソリック同盟』を描き完成した。そして1855年には最も著名な作品『ヴァレンシュタイン遺体の前のゼニ』を完成し、ルードウィッヒ一世が即座に購入するなど、画家として異例なほど勝利の座を得てピロティ派を確立した人物である。

この名声に対し1860年、ザクセン＝ワイマール王によるワイマール芸術大学学長への勧誘、その後ベルリン芸術大学学長への勧誘に対し、ミュンヘン市は重大抗議しトラブルが発生、遂にはミュンヘン市側が新市庁舎完成の暁には市会議堂の大壁画の発注を提案して慰留した経緯があるとのことであった。絵画発注者はルードウィッヒ二世。ピロティの述懐によれば、この間シラーやシェイクスピアに影響され、ただ生きるのは易しいが、「人」となることは難しいことを学び、後にミュンヘン芸術大学学長となった人物である。ついでながらピロティもルードウィッヒ二世が変死を遂げたシュタルンベルク湖畔で死去した。

人間にとって本当に大切なのは自由で価値のある未来なのだ、といった絵画構想は「市民のための政治」を語りかけるピロティ個人のものだそうだが、誰のための市議会、県議会、国会なのか、に通じる「何か」を静かに叫んでいた。兼業禁止の官僚に応分の収入は当然ながら、聞けば市会議員80名の月額基本給は僅か約2000ユーロ。他に収入源がある人も多いそうだが、大絵画の下での公開会議は市民の体温に近いものとなっているのであろう。この話を聞いた時、「報酬」と「権力」の語彙を入れ替えてもいいのだが、〝ある議員の報酬が2倍になると、その政治家の道徳は1／2になる〟といった、溜め息の出るような或る碩学《せきがく》の言葉を思い出したものである。

No.9

インド人のまなざしと言葉〝ミストレス〟

『選択』42 2010年7月

インド経済の拠点ムンバイ（旧名ボンベイ）の鉄道駅終点ビクトリアCSTの近くだった。フォート地区の確かマハトマ・ガンジー道路に差し掛かった時である。広い道路の少し段のある中央分離帯上に、白い無縫衣を身体に巻き着けたインド人が昼日中2列で寝ている。その長さ100m以上。初めはそれが人間なのか俄かには信じ難い風景であった。その両脇を車がゆっくりとしたスピードで走っている。浮浪の者なのだろうか？——思案している内に、今度はコブのついた白い牛（セブ牛）が2頭、道路を横切り出した。車はスピードを落とし、或いは止まる。彼等はそこをゆっくりとした足取りで横切った。分離帯のインド人は泰然と寝ている。セブ牛は悠然と人間を跨いだのである。セブ牛は道路を渡りきると近くの水溜りで水を飲んだ。そこにはやがては土に戻るという思念からか、泥で頭を洗髪している数名のインド人がいた。15年程前、初めてインドへ行った時の強烈な光景であった。

写真家で随筆家の藤原新也氏が、以前ガンジス川に水葬され、浜に打ち上げられた人間の死体を犬が食べる写真を発表し、「人間は犬に食われるほど自由だ」といった氏の自然観と芸術家の骨太の感性が印象に残った。実際に人間の生活空間に共存している牛への崇敬、インド独自のまなざしとでもいうべきヒンズー教の生命観や観念の存在のようなもの感じたものである。別名コータマ・ブッダとも呼ばれている釈迦の「コータマ」とは、古代インドのパーリ語で「最上の牛」という意味だそうである。

＊

２００８年、所用で経済成長著しいデリーへ赴いた。インドの国土は日本の9倍、人口約11億人である。だから数回程度インドを訪問してもこの国の全貌など分かりやしないだろう。その事情は中国と同じであり、その上インドは宗教上の問題が広く深く根強くかかわる。それでも国情を知るのに統計データは国家の輪郭をある程度明確にする。

２００７年度、全人口の有権者は6億７０００万人。この内70％が貧しい農民。この階層が「ノー」といえば政府は倒れる。インドのＧＤＰは中国と同じ約8％で伸びているが、ひとり当たりのＧＤＰは中国の約半分。貧困層（収入1日1ドル以下）が3億人、年収10万ルピー（＝25万円）以下は納税義務がなく、国民の97％が納税していない。最近カースト制（もともと血統の意）による富裕層と、貧困層の間の中間層（年収20～１００万ルピーと定義）が増え幅を利かせてきた。しかし彼等は税金を払わず、申告年収を抑えるため少ない収入から寺院や学校に寄附する習慣がある。納税者3300万人は全人口の僅かに3%、富裕層のカーストは〝土を触らない文化層〟。国家はここから税金を幾重にも取り、最終的には36%程度徴収するもののインド政府は年中財政赤字。国民から税収が見込めないならばと外資から徴収する政策を取っている。ヒンズー教には輪廻転生の思想が根底に流れ「現世で徳を積めば来世は明るい」といった考えが強く、いつまでもカネ、カネと追っかけないで、一般的に皆ボランタリーな精神が普及している。ヒンズー教徒の国でイスラム教徒はマイノリティだが、インド政府未公認でも非公式ながら3億人でアジア最大、インドネシアよりも多い。

一般的に南インドの方が北インドよりガンジー精神が普及しており経済的に恵まれている。北インドは殺伐として何でもカネ勘定が徹底しており気性が強くエグいといわれ、外資に対するアレルギーが強く、欧米嫌いも多く欧米企業が少ない。エネルギーコストは高く、電力事情は一日5時間停電は都市部でも日常茶飯事。但し中国のように低額納税企業から停電を割り付けるような振る舞いは取らない。

＊

IIT（インド工科大学）教授や官僚などインテリ数名と、日米中に対する認識の程度について意見を聞く機会があった。従って以下はインド・ハイエンドの一部の思考である。因みに

ＩＩＴは毎年15万人が受験し2％の３０００名しか合格しない狭き門。教授対学生の比率を1対7に制限しているインド学界の最高峰。ＩＩＴはインドの6都市にあるけれど、必修科目はいずれも米国ＭＩＴの2倍であり、学問にアグレッシブなのである。

彼等によればインドという国家は米国に対する強い憧れがある。インド人の米国在住は約２００万人。年収1億円以上の人も多い。因みに日本人のインド在住は僅か２０００人。経済興隆で「インドは米国を上回ることはないが、世界第2位になる自信はある」と共通の見解を示した。

こうした自信を持たせる国策誘導のひとつに、卓越した外交力を武器とした政治的明晰さがある。インドの迎賓館であるハイデラバードハウスはそうした国家の世界外交の主戦場。贈収賄まみれ泥まみれの不透明な政治家がとにかく多いようだが国家の為にはヤル。米国から巧みな外交力で核技術を引き出した上、核兵器保有を認めさせながら、更に原発燃料を米国からせしめた凄腕なのである。しかもＩＡＥＡ査察は民生用原子力発電所だけとし、軍事用設備は査察対象外とした、したたかな政治力と外交力。折衝当時のアブドゥル・カラム大統領は軍事ミサイル科学者である。彼は〝米国は自分で核を持ちながら、他国には認めないとする理不尽は到底受け容れられない〟と堂々と大国アメリカ相手に主張した。不快なクリントン大統領は無論インドに経済制裁の脅しをかけたが耐え、交渉している内に対中国牽制戦略を逆提案しインドの核を勝ち取ったのである。米国の経済制裁時、シン首相共々「自立で貧困か」「去勢されての繁栄か」の二者択一の場面で〝インド人は物乞いでない！〟と世界に向けて主張。前者を選択し、米国はついに折れたのである。カネ、カネで「去勢されての繁栄」が色濃い我国と異なり、貧しくとも国が国家として自立し、生き方が凛然としているといえよう。

一方インド人の中国に対する見方は、先ず相手を「独立国家」として認めていること。しかし大国インドには中華街なる処が殆どない。世界中に存在する中華街がないことは、〝本質的に中国人を好きでない〟との強い主張が垣間見られた。唯一インドでいわゆる「中華街」があるのはベンガル地方のコルカタ（カルカッタ）らしい。またインドと中国はネパールとブータンに挟まれたシッキム（Sikkim）等の領土問題で長年紛争があり、共産主義という概念はインドのヒンズー教徒／イスラム教徒のどちらにも受け入れ難いとのことであった。

彼らの日本人観も徹底していた。忌憚のない意見を、と事前に述べたためかどうかは知らない。米国に追随し、colony（植民地）やdependency（属国）ではなくmistress（妾）という語彙を使い、日本は政治的にも外交的にも「国家として独立していない」。――一方GDP世界第2位として民間人、一般国民は気の毒なくらい頑張っており、「モノ作り世界一」と日本の技術力、経済力、経営力は極めて高く評価した。他方で企業人の英語力の余りの低さに失望しており、インド文化への理解度が低い。いつまでも拝金主義の上、個人に力が無いのに会社を背景に居丈高になるレベル。真の友人とするには残念なイメージが支配的であり、旅行で日本へ行きたいと考えているインド人は殆どいない――等々手厳しいものであった。〝ミストレス〟という言葉が重く響き残ったものである。

第3章 底知れない中国を識る

No.1

日本村、大字日本、字日本

『選択』7　2007年8月

中国の話をする機会が多い。不器用な話しかできないけれども、聞き手は霞が関の官僚、大企業の経営者、大学教授や産学連携関係、地方自治体の幹部、学会、経済団体であったりする。国会議員やノーベル賞受賞学者へ、という時もある。

一方日本には嫌中派が多いそうである。或る大手出版社の編集長は、今は「中国叩き」の本を出すと大幅に売り上げに貢献するのです——と述べていた。「中国叩き」に出版社の社運や社員の生活がかかっているのである。欧米と異なり、価値観が均質で村社会のような日本では、自分の頭で熟考することなくTVや新聞、出版物を含めたメディアの操作や影響で、すぐに全体主義のように纏まってしまうのは真に恐ろしい。

ところで「中国を語る」どの集まりでも最初に申し上げることは、中国は広いという事実からお話する。国土は日本の25倍、そこに世界一の人口13億人。これが日本ではなかなか判らない。人種も単一でなく55民族。国家のGDPは伊、仏、英を一気に抜き去り世界第4位、ドイツもすでに射程圏に入った。しかし国民ひとり当たりのGDPは未だ世界120位前後。個人平均年収で１４００ドルなので日本の約１／25なのである。こんな非均質な大国の平均値を論じてみても、かなり乱暴な言い方をするとしたら、地球全体の平均値を論じているようなもので、味気なく、あまり意味をなさない。だから一概に「中国では」――と言わないのが教養というべきなのだろう。

従って中国を語る場合、「何の話」「何処の話」「何時の話」「誰の話」なのかが極めて重要なのである。国内周辺だけに限っても甚大な経済格差という定常的問題の他に、チベット問題や中印国境問題、何が何でもの台湾帰属問題、また（旧）東トルキスタンの民族や国境問題。一方で豊かになった中国へより良い生活を求めてカザフスタンや北朝鮮などから多数入国するイリーガル、桁違いの数の腐敗汚職問題、生活の原点である危機的な飲料水・工業用水不足問題や関連環境問題、少数民族の種族維持による膨大な数の近親結婚から、今まで犯罪と見做されていた数千万人同性愛者の自殺志願問題等に至るまで、我国にはおよそ存在しない深刻な内政問題が山とある。これらはすべて客観的事実である。だから膨大な市場魅力度に加え、中国為政者の政治力や統治力への期待度も日本の比ではないのだ。

他方中国の優れている領域もこれと同様に多数ある。しかし中国の上等な情報は我国では触れられることが少ない。日本における一般的な米中報道は、同盟国？　の美名の下に、米国は光の部分をより多く、中国は影の部分をより選択的に報道しているかのようである。

＊

中国の光の一部分に着目してみる。例えば図表は1999年度の日本、中国、インド等を含めた東・南アジア国籍者のアメリカの自然科学系（いわゆる理工系）の博士号取得者の出身国別統計である。出典は米国のNSF（国家科学財団）で2002年版の「科学と工学の指標」によっている。

この図表は本来、外国人博士号取得者のアメリカ残留希望状況を把握するためのものだが、米国の大学院に挑戦する東・南アジアの若者の動向等が読み取れ面白い。中国約2000名、インド約700名、日本約80名。単純計算で日中は人口比で10倍の差なのに、博士号取得者数で比較すると25倍まで差が開く。優秀な中国学生の米国への挑戦者魂は凄まじく、絶対数でも日本を大幅に上回る。この傾向は台湾、韓国でも顕著である。また中国の場合は博士号取得者の多くがフェローシップ（奨学給付金付き学生資格）で招聘されており、この点が台湾、韓国、日本などと異なる。だからというべきか、中国人博士は米国人博士のそれよりも比率ベースで大半が著名な一流大学からの学位取得者なのだ。

NSFの統計データは米国に在住後の彼らの年収調査まで克明に調査している。全体に触れ

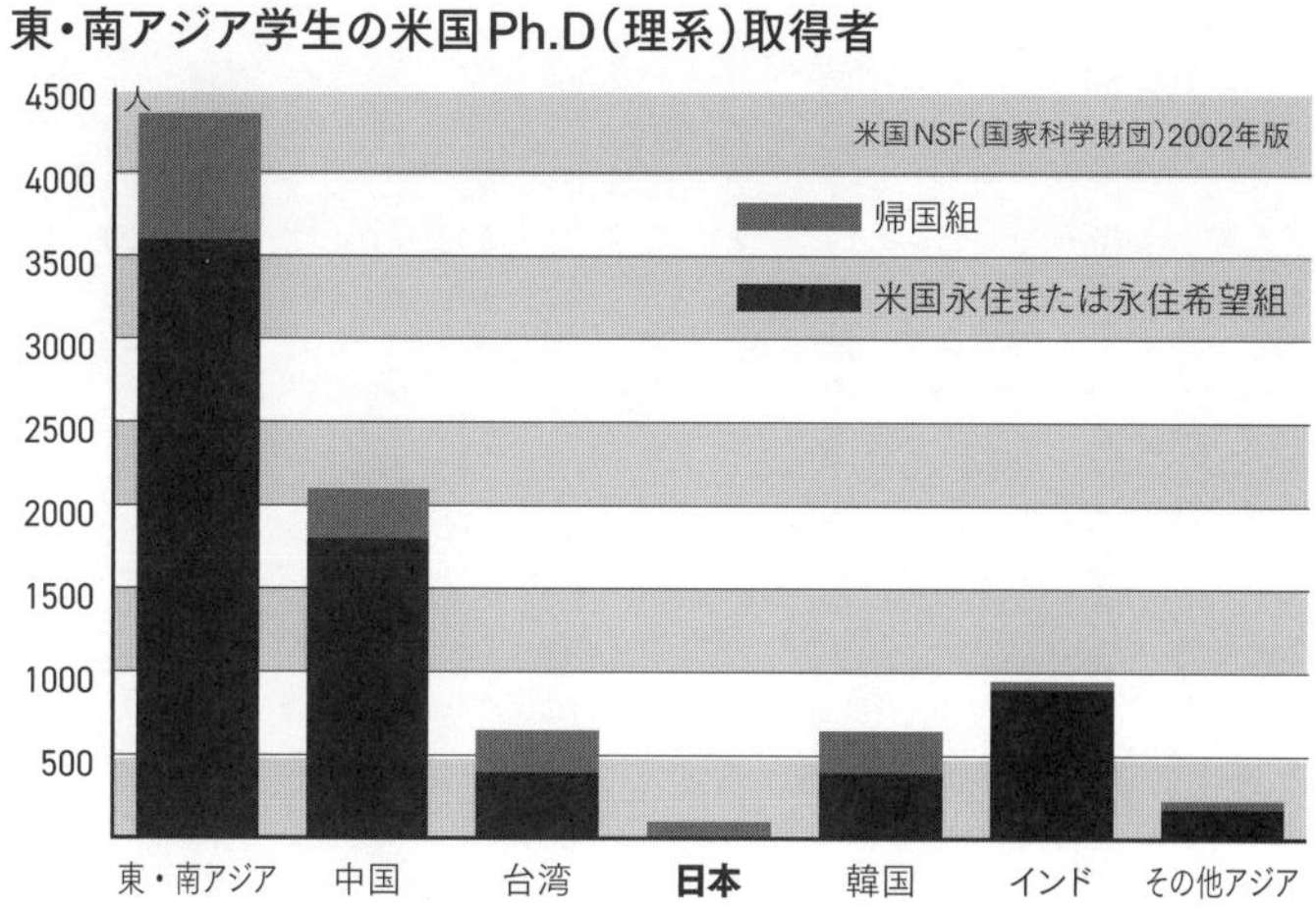

る紙面はないが、2003年レベルの一例を示せば、コンピュータ科学を職業とする中国人博士号取得男性27歳の米国における初年度平均年収は約7万5000ドル（約900万円）。下海、即ち中国に戻らないこれらの学生は90％。彼らがアメリカの主要科学技術基盤の大きな部分を背負っていく。一方国際感覚を体得した10％、海亀派（帰国組）は中国の科学技術基盤を担うのである。

＊

以前中国科学院の上海有機化学研究所へ行ったときである。朱鎔基首相（当時）が研究所を視察した。首相は若い研究者達の先端技術の説明を熱心に聞き、現場に降り質問もした。最後に30歳前後の研究員の肩を軽く叩きながら「君の研究に国家が期待している。不足があれば言ってくれ。どうかよろしく頼む！」といって帰って行った。研究者の感奮興起は想像に難くない。実は我国には存在していない前述の山積する内政問題施策の激務をぬって、国のトップが大学や研究所を視察するのは中国の日常の風景であり、胡錦濤国家主席や温家宝《おんかほう》首相も同様である。

唐突な比較であるが我国ではどうであろうか？

歴代の首相が例えば筑波の「産総研」、東大の「先端研」、和光の「理研」等を訪問し、若手の研究者の研究内容に耳を傾け、質問し、激励したことがあるだろうか。寡聞にして聞いたことが無い。訪問したが無報道だとしたら今度はメディアのレベルや姿勢が問われる。TVニュース画像では女優や外国俳優、スポーツ選手らとの面談はよく放映される。国家でも会社でもトップがラクをしていて栄えた歴史は過去にない。

更に中国の指導者の海亀派に対する態度は一段と真剣さを増す。「米国のどこが素晴らしかったか」「米国のどこが非の部分か」、同様に「中国のどこを修正すべきか」——といった政治局員レベルとの面談が、複列で綿密に実施されている。現体制を見直し、「科学発展観」という政治理念に準拠した政策的誘導の重要な材料にし、一方「人材興国」の継続を定着化させるため、帰国組の殆どの研究者に自分の研究を独立して発展させられるPI（Principal Investigator）など枢要な地位を与え、その競争的資金を提供している。研究制度面はもとより収入面も含め西側世界の一流のサッカー選手やプロゴルフ選手のような厚遇だ。図表からも賢察できるように、所謂「鼻たれ小僧」ではないけれど、学生という利害関係の無い時代から相手国米国との優れた人脈を育み、考え方の波長や摺り合わせを行っているのだ。将来この差は計り知れないほど大きいであろう。

他方、我国若者の余りの少なさに驚愕する。よく見ると米国に挑戦し一流大学博士号をとる猛者も僅かにいる。彼らの学位取得は、官庁等からの1、2年の箔付け留学とは違う自力自前によるもの。その質は高く初任給10万ドル（1200万円）以上の高収入者もいる。知人に何名かいるけれど、彼らが国士として日本に帰国しても、時の為政者から米国の先端性を聞かれたり期待されることもない。培った国際的感性や高度な米国人脈、我国では有り得ない高初任給とは無関係な、村社会のような縦型共同体社会の無言の掟の中に組み込まれていくのだ。将来の国家指導層の人脈、国際感覚における日中の差は一段と開いている。

No.2

清華大学の深い森の小径にて

『選択』21　2008年10月

北京の清華大学の門は6カ所ある。明朝皇帝の庭園だった広大なキャンパスは東大・本郷の十数倍あり、いまだ拡張し続けている。そのたびに特定門の位置も移動する。以前は「西門」がいわゆる〝正門〟であった。今では、中央主楼の目前にあった「東門」位置が100m以上も大幅に移動し〝正門〟格となった。キャンパスが広がったのである。

このロシア洋式の主楼は、2006年も米国ブッシュ大統領が胡錦濤《こきんとう》国家主席と共に対談し講演した建物。正面の30m幅もある緩やかな大階段は、文化大革命時に子供も清華大学生だった劉少奇《りゅうしょうき》国家主席の夫人・王光美が数千人の紅衛兵に吊るし上げられた歴史的トポスでもある。文革時、「造反有理」を叫ぶ行動部隊・紅衛兵も清華大から起こり、学生だった蒯大富《かいたいふ》をリーダーに瞬く間に中国全土に波及していったのである。

十数年通っていて大学では「甲所」に泊めて戴く。「丙所」の時もあった。そこはいずれもキャンパスほぼ中央に位置した深い森の中にある国際学者用の賓館（ホテル）。「甲所」の対面に「丙所」があり、こちらは夫人同伴時などのスイートルームの賓館。リスなどが庭園で戯れており、ブッシュ大統領やビル・ゲイツも夫人同伴時に滞在した。日本の大学で時に問題になっている海外客人用の賓館がキャンパス内に用意されるようになったかどうか、知らない。

その甲所から森を潜るように石畳を歩くと「工字庁」という門構えの学長執務堂が見えてくる。朱鎔基元総理、胡錦濤国家主席、呉邦国《ごほうこく》全人代議長などOBが希《まれ》に来ると、ここで学長らが出迎える光景が昔あった。近傍には鄧小平《とうしょうへい》は偶《たま》であったが、毛沢東が水泳のため隠密裡にしばしば訪れたプールもある。中国近代史を彩る風景が各所で確認できるキャンパスなのだ。我国ではメディアが未熟な為か、清華大は理工系の名門としてのみ報道される偏りがある。実際は「大清帝国」と呼ばれるほど圧倒的な数の国家要人輩出で政治の中枢を担っており、米国で「清華大は中国のハーバード&MIT」と言われる所以なのである。

工字庁から最古の建築物・清華学堂へ向かうと急に視界が開け、アメリカのキャンパスを思わせる緑溢れる校庭へ。遠方正面に清華大のシンボル的な赤レンガ作りの洋式建造物・大礼堂(Auditorium)が見える。ここは日本を頭越しにしたキッシンジャーによる電撃的な米中国交回復隠密外交により、毛沢東と会見したニクソンが、米国大統領として初めて中国の大学を訪れたトポスでもある。その真南の反対側に大昔の〝正門〟で、現在では中国全国受験生あこがれの観光スポットにもなっている「二校門」。その奥の西院には、父上も清華大数学科教授だったノーベル賞物理学者・楊振寧《ようしんねい》の住居もある。この甲所と大礼堂、工字庁と二校門を直線で結んだほぼ交点の小径に、高さ3m程のどっしりした王国維《おうこくい》の石碑が見える。

＊

王国維（1877〜1927年）は清朝末期から中華民国移行期の学者で科挙に合格した最後の「挙人」。当時「三大導師」と呼ばれ清華大教授となった第1位の知識人。因みに第2位が梁啓超《りょうけいちょう》、第3位が陳寅恪《ちんいんかく》、いずれも文系で日本に留学した。王国維は郭沫若《かくまつじゃく》の前世代の中国最高の知性、カリスマ的存在だった学者である。西洋的な人文科学的検証法を取り入れ、特に「甲《こう》骨文字《こつもじ》」や「金文《きんぶん》」の研究で未曾有の成果を得、『字通』『字統』『字訓』の大字典編纂で知られる我国の漢文学者・白川静《しらかわしずか》の仕事にも影響を与えた学者でもある。

単なる学術研究に留まらず、王国維は当時の社会に大きな影響を与えた。清末から民国へ移行する激動期、近代化を図らねばならないとし、欧米の価値観に心身とも傾倒する空気が支配的であった。しかし体制に迎合しない知識人王国維は、西洋に幾らあこがれても所詮は借物。中国文明の深さや民族の誇りを忘れ、西洋一辺倒になったら「中国人は一体どこへ行くのか」——惻隠《そくいん》の情を込めて憂国を為政者等に高い次元で警鐘を鳴らした。しかし目覚めない政府・国民に失意を抱きつつ、1927年、西太后の権威の象徴だった頤和園《いわえん》の昆明湖《こんめいこ》に入水自殺を遂げたのである。

序でながら第2位の梁啓超は戊戌変法《ぼじゅつへんぽう》に参画、失敗し日本に亡命。日本の幕末維新に痛く影響を受け、在日中は吉田松陰と高杉晋作から名前を取って自ら「吉田晋」と名乗った思想家で、帰国後、司法総長、清華大学研究院長を務めた。第3位の陳寅恪も日本の幕末の影響を強く受けた歴史学者。日本滞在中、食事は連日漬物とご飯だけ。貧しさを極めたようで衰弱して帰国した。辛亥革命をはさんでヨーロッパへ国費留学、ハーバード大学にも学んで10年以上海外を体験し再帰国。日本の食事が原因かどうか不明だが、失明しながらも清華大学教授となった。王国維を代表とする三大導師の弟子達約35名は欧米で学問に励み、その孫弟子達の多くが政治の中枢部を含め現在中国各界の指導層となっている。

＊

キャンパスにある王国維の碑文は陳寅恪によるものである。その文面は「書を読み学問をするということは〝世間の一般的な見方〟を突破する為にある。突破して初めて真理が見えてくる」に始まる。（中略）また「思想が不自由になるならば、死を選んだ方がましである。昔から歴史上の偉人が自殺するのはこうした理由によるもので、世間一般には理解できない」とも。また「先生の記した著述の中には少しは間違いがあるかもしれないが、どこにも従属しない独立の精神は永遠である。ここで学ぶ学生も、真理を求める難しさを乗り越えて、哲人の優れた志を日々心に問いかけて欲しい」――といった切々たる内容で刻まれている。

三島由紀夫の割腹自決にも一脈通じるが、王国維の入水自殺の真因は今でもつまびらかではない。彼はラストエンペラーである清朝最後の宣統帝・溥儀《ふぎ》が辛亥革命で退位、紫禁城も追い出され、失脚後十数年たっても彼を守り抜いたことでも知られている。従って溥儀への殉死という見方も有り、北伐軍へ対抗する不戦説などもある。しかし清華大学の教授が自殺することで、時の為政者や次代の青年達に、自国文化への認識や価値を正視するよう注意を喚起した覚悟の自殺という見方もある。政治よりも文化への帰属観が強かった哲人だったのであろう。

清華大や北京大の教授やOBと語る機会が多いけれど、現代中国では王国維だけでなく、龍がのたうつ如く人物や事象の評価は刻々と変化する。いつまでたっても腐敗汚職が消えない中国で「95%は人民で5%は敵（走資派）だ！」と言った毛沢東による文革が真に〝悪〟だったのか？　林彪《りんぴょう》は本当に逃げたのか、それとも連行され墜落死させられたのか？――いずれ名誉回復の可能性もある、といった日本では窺い知れない、穏やかでない会話もまだある。

No.3

北京のニューイヤーコンサート

『選択』12 2008年1月

2007年10月22日、この日も北京の清華大学にいた。人民大会堂で中国共産党大会が閉幕。この日第17期中央委員会第1回全体会議（一中全会）が開かれ、第5世代の注目の最高指導者候補として習近平《しゅうきんぺい》と李克強《りこくきょう》の2名が政治局常務委員に選出されたのである。清華大学教授や国家計画委員会の元幹部、偶然お会いした地方政府の高官らとしばし歓談している内に、続報として習近平が中央書記処書記、李克強が省人大常委会主任の管掌が発表された。即ち習近平は党務を、李克強が国務を担ったことになる。

数千年の権謀術数の国、どのような展開になるか無論不明だが、習近平の党総書記兼国家主席、李克強の国務院総理の公算が強い、と感想が漏れたものである。彼等の話を総合すると、直感ながら「習近平の振る舞いは朱鎔基と胡錦濤を足して2で割ったような人物」——との印象を私はもった。父習仲勲《しゅうちゅうくん》失脚による自身の過酷な下放にもめげず、太子党なのに驕らず質素であり、江沢民《こうたくみん》派に組する訳でもなく、胡錦濤のように謙虚で忍耐強く、朱鎔基のように敢然とした行政手腕と結果を出す実行力に関する幾つかの逸話があった。習近平は胡錦濤の清華大学の後輩筋にあたる。また李克強は胡錦濤の共青団の後輩筋にあたる。因みに常務政治局員という最高位となった李克強は1986年の胡啓立《こけいりつ》以来、ふたり目の久しぶりの北京大学OBである。毛沢東や鄧小平はブレーンを置かず独裁であったが、胡錦濤は「科学発展観」の政治理念のもと、知識に価値を見出しブレーンを置く政治に順次変換してきた。習近平、李克強、ふたりともそれぞれ法学博士、経済学博士の学位を有する。全部が理系テクノクラートだった指導者の中で文系に配慮されたのは注目される。

＊

ところでこのスターリン様式の人民大会堂は中国共産党建国10周年を記念して1958年に僅か10カ月のスピード着工で建造された大建築物。北京駅など代表的建造物を手がけた清華大学建築科創生教授・梁思成を主事とする設計である。

1995年の正月。この人民大会堂でドイツのバイエルン放送交響管弦楽団とロリン・マゼールの指揮でニューイヤーコンサートが開かれた。私も入場券を戴き、清華大キャンパス賓館からボロボロのタクシーに乗った。今ではベンツやBMWが東京と同じように走るようになったけれど、当時は国産の1元タクシーなどがまばらに走っていた時代。ひとり当たりのGDPは日本の1／100レベルで、10㎞までなら何処まで行っても料金は1元（当時1元＝10円）。大昔の三輪車ダイハツミゼットを四輪にしたような数百ccクラスの黄色の華奢な箱型車体は、車内にまで安物のガソリンの臭いがし、NOx、SOx、CO_2を撒き散らす。清華大の自動車工程系では車の剛性クライテリオン（破壊強度基準）等の系統的試験が行われ、清華大学基準が殆どそのまま国家規格となっていた。日独米の自動車メーカーが中国市場へ熾烈なアプローチをしていた最中でもあり、「日本は、車は良くても政治と産業がバラバラで損をしている……」といった中国指導部側の声も耳にしたものである。1元タクシーの劣悪さについて中国科学院院士で清華大の温詩鋳教授に尋ねたことがある。教授は以下のように応えた。

「内政問題が深刻な中国は色々な問題にぶつかりながら、それでも発展する」――という一種の哲学のようなものがある。何しろ13億人の民、広大な国土、55もの多民族を抱えていると、何が良くて、何が悪いのか、何が正しくて、何が正しくないのか、価値観は180度も270度も異なる。龍の頭部が命令しても胴体や尻尾まで神経が行き届くのには時間と慣性力が残る。そして大きなうねりをもって何度も変化しながら進むことになる。1元タクシー出現も同様だ。NOx／SOx等の環境問題の前に、今まで大半が自転車（当時、中国では自転車を「車」と言った！）だった世界。信号もなく、街中で人と自転車と自動車が走ると全体にどうなるか？――即ち1元タクシーがNOx／SOxを含め劣悪なことは何も外国から指摘されずとも、国家要人は皆分かっている。しかし安くて便利なものは経済を促進する。この理屈から1元タクシーは諸処の規制の外に置き、かなり普及させた後、欠陥などを取り上げ当該タクシーを政治的に叩く、というやり方を取るのです。教育でも、原発でも、原爆でも皆同じです——との述懐があった。5年に一度しか変わらない中国政治指導部ではあるが、日本では（当時この対話をした1993年夏から1994年夏まで宮沢、細川、羽田、村山と各首相が順次交代）一年に4人も首相が替わる御国で、こうした中国の事情がどこまで分かるでしょうか？　と温教授は述べた。

＊

北京でのクラッシック演奏会は通常、中南海の近くにある中央音楽庁で開かれる。開演は殆どなく、希にシンフォニーコンサートが開かれると、第四楽章で構成される交響曲の各楽章毎で拍手が入ったりし、海外帰りの指揮者が戸惑っていた。こうした文化環境下で、日本の国会議事堂にあたる人民大会堂でニューイヤーコンサートが開かれたのである。入場券は上席で20元（＝200円）。演奏曲目はベートーヴェンの交響曲第7番一曲のみであったと思う。その前年12月（即ち1週間前）マゼールとバイエルン響は日本でも演奏し、その帰途北京に立ち寄った形であった。日本では席にもよるけれどもS席で確か1万8000円と聞いたので、日本人は同じ演奏を90倍支払って聴いたことになる。

私の席の2列斜め前には当時全人代委員長の喬石《きょうせき》が来ていた。前日は江沢民が来ていた模様で、翌日は朱鎔基となっていた。余談であるが常務政治局員の中で古典音楽好きの真打格は科学技術兼教育文化担当であった筆頭副総理の李嵐清《りらんせい》。この方にも現役時代に中南海の紫雲閣でお会いしたことがある。穏やかで深い品位があり大人物然とした風貌。ソ連留学前からピアノを弾き、ドイツリートも謳うほどの御仁なのである。李嵐清は最近『古典音楽随想』と題した書を出版、知識階層の高い支持で品切れの話題をさらっている。

真冬の北京の夜、外気は氷点下。オーバーコートに厚手の手袋をして共産党大会の開かれる中央ホールに入り全席テーブル付きの椅子に着いた。北京の冬の暖房は磐石である筈なのに何故か寒かった。夜会のためか、故障のためか、高天井のためなのか、どの聴衆もオーバーにマフラー等をまとったままバイエルン響を聴いた。私は手袋を取ることが出来ず、テーブル上の「賛成・反対」のボタンに異文化を感じながら聴き、ベートーヴェンの躍動感に満ちた第7交響曲は万雷の拍手をもって終演した。

その後ほどなくドイツのコール首相が北京を訪問。まもなく1元タクシーは撤去され、代わるように中国全土にフォルクスワーゲンが出現するようになったのである。国家レベルの熾烈な経済戦争を有利に展開するには、政府と産業界のベクトルの合力化とロビー活動を含めた戦略が必須である。この意味で中国新幹線も同様なのだ。

日本の聴衆から行きがけの駄賃のように利益を享受し、中国へは半ば無償だった演奏。ドイツの政治と産業と芸術までもが一体となって、日本に勝利した最終仕上げのような演奏会となったのである。

No.4

何処で差がつく日中の産学連携

『選択』16 2008年5月

創業支援推進機構（略称ETT）が創設されて8年が経つ。新技術・新規事業の事業スタート前段階において、技術の良否、事業成立の可能性の有無や示唆などを含め、第三者による技術・事業性評価をする民間による公益のシンクタンクである。ベンチャーや中小企業などから、日東電工、ダイキン、積水化学、エプソン、旭化成、NEC、日立、トヨタといった大企業のR&Dに至るまで、新規事業の成否について高い次元で評価している。一流企業でさえ新規事業成功確率が低いのだ。それらを聞きつけ最近、大学発ベンチャーの幾つかがETTの戸を叩くようになった。

「匠の国」日本は外国に比しモノ作りの難しさを克服し、成功に結び付けた第一級の人物が多い。現役、OBを問わず高い専門性ある優秀な人材は多く、国家の宝であり資産である。深い体験を身体に刻み込み、直接他者の役に立ちたいとする飛耳長目の士はETTで8年前の80名から現在約950名にも達した。〝一級人財〟の横の流動性が無いのは国家の損失。危機感を共有し社会に貢献したいとする国士のような方々が多い。何故なら欧米中国が、国ぐるみ、団体ぐるみで国家戦略、企業戦略を立て競争力を高めているのに対し、我国では国家に殆ど戦略がない上に、個々には「温暖化　会社蝕む　賛成雨」――の五七五句が新聞の最優秀川柳賞に輝くほどの縦型共同体社会。国際競争に勝ちにくいのである。

ＥＴＴの活動の全部を本稿で網羅できない。ここでは産学連携による「大学発ベンチャー」に着目してみる。次ページの図は少し古いけれども、日中の大学発ベンチャーにおける事業収入概要の比較である。日本のデータは経済産業省の「大学発ベンチャー白書」、中国のそれは科学技術部（省）の同じ切り口から整理されたデータである。我国の大学発ベンチャーの実績は２００２年度で約５５０社、その売り上げ総額は約２５０億円。２００６年１５００社にはなったが５００億円前後を脱却できてはいない。これに対し中国の大学発ベンチャーは２００２年度で約５０００社。その売り上げ総額は1兆１５００億円。このうちハイテク企業の売り上げ比率は全体の75％という凄まじい内容なのだ。絶対額において日本は中国に約50倍の差をつけられ負けているのである。しかも中国のひとり当たりのＧＤＰは日本の１／25～１／30。一例だが、北京の清華大学の学生食堂。朝食はパレットに充分な食材がのって価格は1元もしない8角（11・5円）。日本の学生はコーヒーとサンドイッチ、カップラーメンといったところなのだろうか？　話を進めるためこれらの食費が約３００～３３０円と仮定すると、日本は中国の約30倍の食費がかかる。これはいみじくもひとり当たりの日中のGDP比に準拠している。このGDP比で総売り上げを考慮すると、日中間の大学発ベンチャーの実質は1500倍もの差異が生じる。ときに経済産業省や文部科学省、大学関係者から「どうしたら中国に追いつけるのか?」——問われることがある。しかし「追いつく」という概念は、競り合っているのだが僅かに定常的な差をつけられている場合に使用する言葉。実質で1500倍も差をつけられている現状は、「もはや勝負あった」というべきなのだろう。

大学発ベンチャー売り上げの推移
日中比較

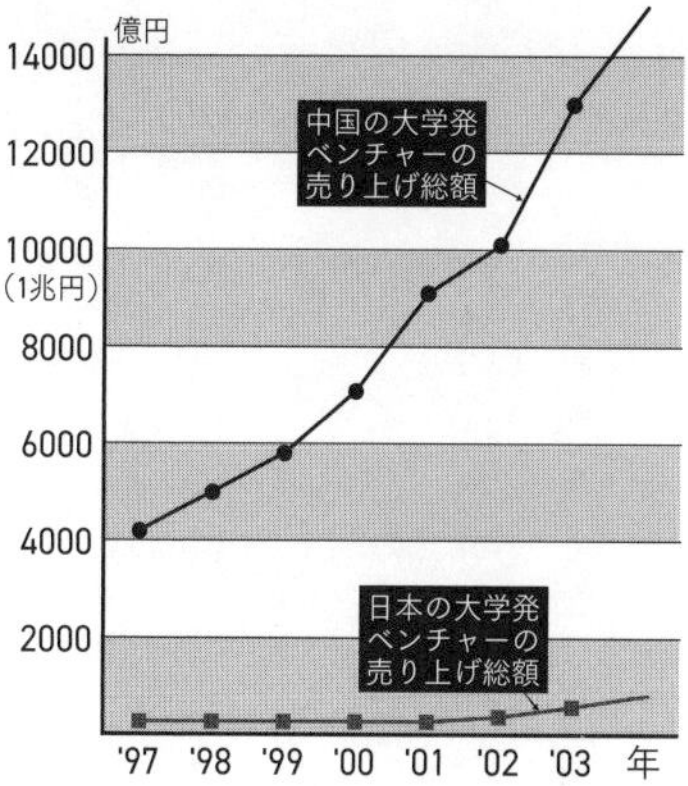

出典:「ベンチャー2006KANSAI」(日経新聞主催)
基調講演「急成長する中国ベンチャー」

＊

「中国という国家」を平均値で見る危うさが日本人にはある。この弊害を本連載や新聞など機会あるごとに述べてきた。従って平均値で見ていると「何故このような差がつくのか?」理解できないのである。以下に一例を挙げ中国の大学発ベンチャーの事業への執念、第三者評価を受ける謙虚さ、柔軟性に触れたい。

中国の大学発ベンチャーのひとつ「清華同方威

視」有限公司（以下「威視」）。シーズを発案した清華大学・工程物理系の康克軍教授は、専門のシンクロトロン技術を応用開発した放射線計測器を市場に出したいと探索していた。放射線の中で、透過力の弱いα線は紙でも反射、β線は紙を透過するが薄い鉄板で反射してしまう電磁波である。しかしより波長の短いγ線は薄い鉄板をも透過し、厚い鉛板にぶつかり初めて反射するほどの強い透過力がある。この物理現象を利用しγ線の往復にかかる反射との時間差を読む原理で、薄板鉄板に囲まれた内部の重量、体積、位置が計測できる。更にソフト等で味付けすれば、一定速度以下で走行する貨物列車のコンテナ内部のビール瓶、タバコ、缶ジュースなどの本数、また石炭、セメント、白菜など野菜類の積載重量など殆どあらゆるものが計測できる。中国の数百mに及ぶ貨物列車では、コンテナ内部の物品搬入搬出時の人手による計測に費用がかかり難儀していた。盗難事件も頻繁にある。康教授はたびたび現場に赴き、貨物列車を眺め、事故発生があれば直ちに鉄道省に出向き、事故や苦情から必要な計測器や精度の分析を行い、自己シーズの欠陥を発見。市場に技術を重ねるように、製品を練り直し、作り込んだのである。

＊

康教授の賢明さは次のステップ。自前の「製品」が「商品」として市場で機能し、事業として成立するかどうか？　彼は第三者評価機関である上海技術交易センター（評価内容によっては日本人もいる）にこの製品の可否について技術・事業性評価を依頼したのである。中国には当センター以外にも深圳科学技術交易評価所など大規模な技術・事業性評価の半官半民のシンクタンクが幾つかある。他者による異なる原理、異なる代替案、異なる価値観に耳を傾け、複数の知見者のフィルターにかかり、自ら世間知らずの学者としての発想に対し精査する機能(due diligence）を使ったのだ。日本の多くの大学と異なり、振る舞いが謙虚なのである。

このセンターではレベル高い事業・学識経験者が評価委員となり、技術の卓越度、市場性、競合技術、事業計画など厳しい審査が執行される。その結果「威視」はトラック積荷、チーティング（ごまかし）防止の市場まで適用可能とのお墨付きまで得た。ここには同時に技術オークションもある。「威視」はこのGOサインの結果、中国の私企業や科学技術省など各種のファンド（資金）がつき、大学発ベンチャー6年目で年間売り上げ20億元（当時約300億円）利益3億元（当時45億円）を計上、中国のみならず、インド、東南アジア、ドイツ、スペイン、南米、アフリカ諸国にも進出し、市場占有率は約72％に達し現在に至っている。

我国の大学発ベンチャーやTLO（技術移転）は、誤解を恐れずにいえば、現在いわば壊滅的状態。他方「威視」が成功した要諦は3点しかない。第1は学者自らが徹底的にマーケティングしたこと。第2は学者自ら市場に合わせ何度も製品を作り込んだこと。第3は学者自ら異なる価値観を有する高いレベルの第三者評価機関の洗礼を受けたことである。中国以外にも類似の評価機関はドイツのシュタインバイス、米国のブルッキングス研究所の一部門等があり、社会と巧妙にリンクしている。

我国の産学連携クラスター構想や国家産業技術戦略論など机上の議論も必要だろう。しかし大学発であろうとなかろうと、当たり前のことを当たり前にやれば成功確率は高まる。ETTで多くの新規事業を審議していると、成功に至る「学歴無関係、性別無関係、国籍無関係」の実態が見えてくる。日本の産学連携も前述の要諦に気付き、実行すれば、上りエスカレータを駆け足で登るように中国に追いつけ、酸欠状態を脱却できる。

No.5

タクラマカン砂漠の奥で

『選択』38 2010年3月

「時間地図」という言葉は誰が言い出したのだろうか。内陸アジアは懐が深く、目的地へ到達するには距離に比例せず、欧米の各都市へ行くよりも遥かに時間がかかる。20世紀初頭では、北京から西端都市カシュガルまで片道で半年かかったそうである。中国の内陸西域は新疆ウイグル自治区。砂漠が大半の〝新疆〟とは中国語で「新しい国土」という意味である。またタクラマカンとはウイグル語でタッキリ（死）・マカン（無限に広い）という意であり、アフリカのサハラ砂漠に次いで世界第2の広さと共に、地下には石油・天然ガスを有する資源リッチな地域でもある。

10年ほど前、休暇を利用し北京在住の日本人の仲間十数名と共に、タクラマカン砂漠と公路を約1週間かけ横断した。何千年もの悠久の間、ひたすらに黄沙が舞い積もってきたことを想像させる、人生観が変わりそうな一面の砂漠があった。それでも公路の所々の砂山にタマリスクの小木、また熱砂に抵抗してきたためか、不恰好な枝ぶりとなった胡楊の木などがまばらにある。尾籠な話だが男性はともかく、ご婦人方の生理現象の処理には役立っていた。

砂漠でオアシスとは、何も湖や川があるところだけでなく、不毛の砂漠に点在する小都市もオアシスと呼ぶ。例えばシルクロード西城南道ルートで古代から要塞として栄えたホータンは、人口の98％がイスラム教徒のオアシスである。太極拳や、中国将棋の風景など全く無い異質の世界。道端の羊数十頭を棒切れのようなもので束ねている者、ロバ車に絨毯や雑多なものを載せている行商人、砂埃の中で日常食のナンの小売や、羊を解体しそのまま売る肉屋などが雑然としていた。そこには雑然さそのものが秩序とでもいった基層文化があった。

ホータンから次のオアシス・ヤルカンドへの途上に小さな集落があり、ここで羊肉の串焼きであるカワブをもとめた。唐辛子にジーレン（調味料）をふりかけ、程よく焼きあがった焼鳥の王様のような鉄串の長さは50㎝ほど。人民元で支払おうとすると気に入らない様子であり、「野菜はないのか？」――。砂漠の中では毛沢東の顔が印刷された紙幣より、野菜の方に価値があるようだった。ここでは未だ物々交換が生きているのである。

＊

ヤルカンドを過ぎた直後、遥か南３００㎞先。東京〜名古屋間ほどの距離なのに、カラコルム山脈で一際突き出た霊峰ゴドウィン・オースチン山（一般に〝Ｋ２〟と呼ばれる世界第2位の山８６１１ｍ）が目前に見え、峻厳とした感動を味わえる。〝Ｋ２〟は中国・新疆ウイグル自治区とパキスタンとの国境に位置する。神聖なる景観の余韻が残っている黄昏時、タクラマカン砂漠の最西端の街カシュガルに着いた。ここは西方の中央アジアと南方アフガニスタンへ抜ける交通路の要所として発展してきた都市であり、カザフスタン、タジキスタン、キルギスタン等に囲まれた「内陸の中の内陸」の街。この辺りまで来ると、自分が立っている場所や地所が、国境なのか、辺境なのか判然としない。というより「国家とは何か」を思考させる。

国家・国民の境界における検討や定義は本来、地理学者や外交担当者の領分だろう。国境とは自然的境界と人為的境界を区別し、紛争の火種になりかねない境目の存在を人々に厳密に理解させてきた。しかし辺境とは国家・国民相互を分離する線ではなく、むしろそれは徐々に移動する可能性のある領域であり、国家・国民を持たず領土認識がなされていない原野の中で基層としての文化が絶えずシャッフルされ、少しずつ流れて形成されるトポスなのかもしれない。

この地帯共通の、日干し煉瓦や土でできた厚い塀で囲まれた家屋、シナトルキスタンとロシアトルキスタン文化の融合とでもいったホテル、様々な露天商、広場に出ると突然現れるこの地帯最大のイスラム寺院であるエイティガール寺院が見えてくる。周辺にはウイグル族のバザールル。友人は髪がのびたといってバザールのテント間の路上の散髪へ。5分ほどで2元（当時20円）とのことであった。因みにカシュガルにおける「美」の基準のひとつは頭の形。男性はドッピといわれる四角錐のようなツバ無し帽子をキチンと被れる頭形が「秀」とされている。女性の場合は頭巾やターバンが優雅にのり、長い髪の毛が優美にかかるようにするため、夫々後頭部を真っ平らにする。頭形を変え易い新生児の段階で木製の小児用ベッドに子供の後頭部を優しく押さえ、頭蓋の丸みや曲線がなくなるまで時間をかけて寝かしつけられるそうである。

性格は極めて純朴で温和であり、遊惰に流れ易い趣きも大いにある。一方で新しいものに取り組む気迫といったものに乏しく、物事への熟慮が少し不足しているようにも見えた。彼らの振る舞いを見ていると、変化しなければ生き残れないほど世界が大きく激動している中で、なお脈々と底流しているものを見つめ続ける基層文化への執着とでもいったものがあった。

＊

ウイグルあるいはトルキスタンの民族独立問題が叫ばれて久しい。内陸アジアと漢民族の結びつきは紀元前にまで遡るらしい。けれども相互に干渉しあった時代の流れの中で、代々シナ側の威信が強大なため、内陸アジアの人々に対し首尾よく立ち回ってきたとの史実がある。即ちシナ側が武力行使をするまでもなく、内陸アジアの文化がもたらす価値より、シナ側がもたらす公正さや価値に対し、より信用が置けると思い込んだ内陸アジアの民族が嬉々として服従してきた、との見解である。イスラム教徒を主体とした彼等は、本質的に質朴で至って御しやすく、良きにつけ悪しきにつけ強い個性に欠落している。親切にしようと冷淡にしようとあまり気付かない民族——といった理解の中では、統治領域における支配者管理が矛盾なく執行できる。

近代の中国から見れば、毛沢東の指令を受けた王震が、屯田兵流の統治法で新疆ウイグルへの漢民族移入、現代では西部大開発政策の対象としての領域であり、国家全体の経済発展の眼目とされている。他方ウイグル民族から見れば、彼らの基層文化、民族や習慣や言語などが圧迫されているとの不安や不満は無論消えていない。それにも拘らず漢語教育の徹底が浸透し、漢語を話さないと経済的に豊かになれない仕組みの中で、スポット的に民族意識の蜂起に基づく、反漢感情の突出といった独立運動が展開されている。過日もウルムチでウイグル民族と漢民族との衝突があった。

しかし我々も過去や現代を深く内省する必要があるのだろう。江戸時代から明治・大正・昭和、我々はアイヌ民族にどう対処したのか。アメリカの基層文化ともいえたインディアンは今何処にいるのか。オーストラリアのアボリジニ民族はどうなったのか。中国に限らず、人間の歴史はかくも残酷なものである。先日も沖縄大学の某教授が北京大学における講演で「沖縄の日本からの独立」について声を振り絞って叫んでいた。

No.6

北京大学から歴史と人物を考える

『選択』49　2011年2月

長年の清華大学に加え、2009年北京大学の歴史学系中外関係史研究所客座教授を拝命した。前者は自然科学であり、後者は人文科学の領域である。十数年前、清華大学の院生指導後たまに自転車に乗り、隣の北京大学に入る。そして未名湖畔《ほとり》のベンチから遠くに聳える博雅塔を眺め、次の時間へむけ充電していた頃があった。そのキャンパスで今度は日本の歴史や人物を語ることになるとは、少し不思議な気がする。海外が多く自然と自国の歴史に関心を持つようになって久しい。そのため余技ながら幕末の英傑、橋本左内著『啓発録』や吉田松陰著『留魂録』を英訳し、書として自費出版。欧米中国へ向け「素晴らしい日本」を知って欲しいとのメッセージを発信してきた想いが、北京大学とのご縁になったようである。

中国知識人の我国・幕末維新期のエモーションに関する知的欲求は大きい。口には出さないが日本の清潔さ、日本人の謙譲さ等の風土も中国人の垂涎の的である。2008年の雪ふぶく2月にも、北京外国語大学内の北京日本学研究センター主催で、東アジア「武士道の研究」国際シンポジウムが開催された。中国共産党の本拠地・北京で「武士道」に係わる国際会議が公然と開かれたわけである。どこまで官憲の許認可が必要だったか知らないが、同センターの郭連友教授など主催側の尽力で国際会議開催が実現し、達成感に溢れていた。

日本側からは数名の学者が参画。中国側からは中国社会科学院を初め、北京大、北京外大、北京師範大、南開大、吉林大等の他、台湾、韓国の各大学教授などが闊達な研究成果を発表。外国人による幾つかの演題を挙げれば、「明治思想の中の武士道」「中国知識人の武士道認識」「武士道と禅」「神道と武士道の一考察」「幕末武士の行動原理」「武士道と現代日本社会」等々。大所高所、また微細に亘り武士道の特質につき言及された。幾分偏った見解も散見されたが、多くは史実を正視し、武士道の精神がもたらす倫理観、潔さ、美意識などの探求に熱心なのである。それはジェラシーさえ感じさせ、温故知新の原則で歴史を大切にする国家と、大切なものまで水に流し、歴史の蓄積に希薄な国との相違を感じさせ、現代日本人の歴史認識の低さが逆照射された国際会議となった。

*

郭連友氏は吉田松陰研究の専門家として我国でも名をなしている。氏は論文「アヘン戦争と松陰」、「松陰の〝人間観〟形成と孟子の〝性善説〟」など史料に根ざした歴史学的手法で松陰と中国との思想史の検証を多数行い、「吉田松陰の思想形成と近代中国における松陰認識」と題した学位論文で、魯迅も学んだ東北大学から文学博士号を取得した学者である。一例を挙げれば、孟子の君臣思想とは「君子が愚者だったら不従、賢者なら服従」と説く。しかし松陰の場合は民生観を基軸とした民生思想。君子といえども人間であり、「諫めて、諫めて、諫め尽くす」諫《しん》言者《げんしゃ》としてのダイナミズムを説いた——と解説する。

また近世日中思想史の支柱といえる中国側の中心人物は梁啓超（1873～1929年）。戊戌変法に参画し、西太后のクーデター（宮廷政変）により失敗。1898年日本に亡命し10年以上滞在する。この間明治維新により一躍世界の強国の仲間入りを果たした躍進振りを中国改革の手本とした。特に松陰の「幽室文稿」は9割以上が漢文で書かれている為もあり、黄遵憲《こうじゅんけん》や康有為《こうゆうい》など当時日本語が解らなかった中国知識人に深く読まれた。中でも梁啓超は松陰の弟子、後の内務大臣・品川弥二郎宛書簡を始め、前にも触れたが松陰へのあまりの憧憬から、自《みずか》らを吉田松陰の姓と高杉晋作の名前をとり「吉田晋」と名乗ったほど。

毛沢東は梁啓超が横浜で創刊した『新民叢報』を読み、当時の「日出る国」日本を深く知覚したのである。そしてその立論鋭く、条理がはっきり立ち、感情が迸《ほとばし》る見解に深い感銘を受け、彼の封建主義批判などから革命への源泉を得たとの史実がある。政治家、軍事家、思想家で書道家でもあった毛沢東の梁啓超への傾倒ぶりは、彼の「子任」という書家としての号が、梁啓超の号「任公」に因むことからも窺える。毛沢東は大学を出ていないが、北京大学図書館員の立場で、早稲田大学へ留学経験をもつ北京大学教授の陳独秀《ちんどくしゅう》や李大釗《りたいしょう》の「反清革命」に大きく影響を受け、他方、清華大学で教えた梁啓超からも思想的な核心を吸収して行く。こうした史実に基づき、彼は第二次世界大戦終了後の日本の戦争責任を問わず「中国国民と日本人民は末代まで友好であらねばならない」と強調し、戦争戦禍を無償とした史実がある。現在の日中関係の冷ややかな関係は、政治関係当事者双方の真髄を捉えた歴史認識が必要であることを語りかけているともいえよう。

＊

北京大学で幕末維新期の人物について触れた時、「史実と小説の峻別」に関する質問があった。例えば我国では坂本龍馬が〝ブーム〟である。しかし昭和30年代頃までは無名でなかったか？という。確かに史実が明確な明治や大正の幕末維新関連の書物に龍馬が触れられたものは殆どない。こうした質疑は学生の健康さを証明しているといえよう。

昭和11年出版の歴史刊行会刊による『日本英傑秘話』では吉田松陰、橋本左内、西郷隆盛、高杉晋作は出てくるが、坂本龍馬はなく阪本龍馬となっている。昭和35年『日本人物史大系・近代』（朝倉書店）にも龍馬の記載はない等々。即ち昭和37年、産経新聞の連載小説『竜馬がゆく』以前に坂本龍馬を重要な人物と捉えた書は極めて少ない。司馬遼太郎はその〝小説の構想〟の中で「事を成す人間の条件とでもいうものを考えてみたかった。それを坂本龍馬という田舎生まれの、地位も学問もなく、ただ一片の志のみをもっていた若者にもとめた」――と述べている。龍馬の少年時代は学業不振、落ちこぼれ感が酷く、両親は学問を断念し、剣術修業のため千葉道場に入門させ、ここから自己を開花させていったのは史実であり、日本人の心の深奥を強く揺さぶる作品である。小説という形式で、史料から客観的に分かる以上のものを龍馬を通して生き様を語った手法は感動的。また物語が美しいとそれを心に刻み、受容したくなる。龍馬が国民的人気を博したのは、時に単調な歴史的事実より遥かにリアルなものを感じさせる司馬氏の人物構想の〝見立て〟が抜群だったからだろう。

それでも小説であり歴史そのものではない。ましてや2010年の『龍馬伝』なるNHKのドラマに至ると、部分的に見た限りだが、歴史を捻じ曲げたように維新期立役者の殆どが龍馬の為に存在しているような違和感があり見づらかった。数少ない土佐出身の友人や学者でさえ「有難いが、まっことやり過ぎじゃがノー」と述べていた。

数年前、吉田松陰を「まつかげ」と読んだ政治家がいた。その政治家も結局国民に選ばれた、というか国民が選んだことになる訳だが、松陰も草葉の陰で嗚咽していよう。

発展する中国で、清華大学と並ぶ名門・北京大学が、幕末維新期の人物を通し大和魂やサムライ精神について受講する姿勢に驚嘆する。いずれ中国人に史実に基づいた日本史までも教えてもらうような時代になるかもしれぬ。

第4章 ◎ フランスの知能発電所

No.1

エコール・ポリテクニクの君子不器

『選択』24　2009年1月

2008年秋、フランスが誇る理工系の世界的名門エコール・ポリテクニクの理事長と学長にパリで長時間面談した。実はその後エコール・ノルマル(ENS：高等師範学校)、シアンスポ(Sciences-Po：国立パリ政治学院)、更にエナ(ENA：国立行政学院)の学長らトップとも対談、最後はエリゼ宮にてサルコジ政権の大学改革担当大統領特別顧問とも会見した。個人的な旅にも拘わらず、NEDOパリ総局の友人による絶妙のアレンジで貴重な体験をさせて戴いた。こうした超級グランゼコール(大学校)と総称されるフランス指導層・エリート養成機関の教育は、知る人ぞ知る凄まじいレベルである。しかしフランス革命で貴族が崩壊し、新しく頭脳競争のジャングルを通過することで〝新貴族〟となる階級社会のプロセスはあまり知られていない。この内容の質量が大きく一度には記せない。本稿では主にエコール・ポリテクニク(フランスで通称〝X《イクス》〟と呼ばれる)に触れる。

フランスはナポレオンが制定した日常規範によって生活が営まれている部分は現在でも多大である。県知事制度、レジオン・ドヌール勲章、パリ凱旋門……。〝X〟も国を守るには最優秀な頭脳が不可欠という信条を持つナポレオンが、1794年創設した超級エリート校である。

初代学長（校長）は18世紀最大の数学者・物理学者であるJ・L・ラグランジュ。解析力学の創設者でありニュートン力学を座標系によらずに一般化し、エネルギー保存則からは最小作用の原理を導いた。彼はフランス革命でギロチン処刑されたルイ16世のお妃、マリー・アントワネットの数学教師でもあった。また流体力学のナビエ・ストークス基礎方程式を導いたアンリ・ナビエ、熱力学の開祖といわれ熱機関「カルノーサイクル」で知られるN・L・カルノー、数学「コーシーの積分定理」のA・L・コーシー、回転座標系における慣性力「コリオリ力」のG・G・コリオリ、レンズ研究から光の波動説を唱えたA・J・フレネル、確率論のポアソン分布で知られるS・D・ポアソン、電気力学の法則を発見したA・M・アンペール——など昔教科書で習った自然科学の偉人の多くが〝X〟出身である。因みに現代ではV・R・ジスカールデスタン元大統領など政官界にもかなりいるが、何といっても産業・経済界の重鎮の多くが〝X〟のOBで席巻されている。ほんの一例を挙げれば、ルイ・ヴィトンやC・ディオールを束ねるコングロマリットLVMHのB・アルノー会長、日本でも知られるルノー会長で日産のCEOカルロス・ゴーン、それに今回お会いしたのだが、フランス経済産業界のドンでEU経済圏の大ボスのひとりでもあるサンゴバンのJ・L・ベッファ会長等々。

個々の国家における「教育」に関する議論は、今も昔もそのダイナミズムにさしたる変化はない。大きく揺らぎもし、時に停滞し、また沸騰することもしばしばである。揺らぎの一方は、全ての学生に等しく教育機会を与え、国の知的水準を広く高めようとする平等主義の概念。他方は、人間にはそれぞれの能力や適性に違いがあり、少数で精鋭のエリートがいても何ら不思議はない、との考え方に基づく能力主義の概念。一方が行き過ぎると他方が問題となり、他方が過熱すると一方への回帰があった。

フランスは18世紀以来、後者に議論を収束させ、その頂点に大学ではなくグランゼコールを位置付けた。ここで問われるのは、もっぱら「左脳の早熟さ」といえるであろう。「自己と他者」、「内界と外界」とでもいった人間の力学を「左脳の早熟さ」だけで価値を推量し、果たして人の能力が測れるか、という疑義がある。又より現実的には親の経済力が、若年者の左脳の発育を大きく左右するという指摘もあろう。しかしグランゼコールの選抜システムは、少なくともフランスの万民を唸らせる程の厳しさで、〝頭脳〟を選別している。

ここで強調しなければならないのは、エリートを選抜することの難しさ。誤解を恐れずにいえば、例えば東大の合格者は、再試験すると50％以上が入れ替わる、といわれている。つまり何回試験しても不合格にならない最優秀な人材は50％。しかしながら〝X〟への試験プロセスや内容は日本の入試難易度に比し格段の違いがあり、異論を差し挟めない程周囲を睥睨する。〝X〟では毎年約300名。フランスの人口は日本の約半分であるが、全国の秀才がしのぎを削った末のこの数は余りに少なく、言葉の高い意味の「エリート」が誕生するのである。

＊

〝X〟の本校はパリ南西郊外のパレゾにある。しかし時間的配慮まで戴き、フランス語のG8級通訳を入れ、私はパリで理事長マリオン・ギュー（女性）と将軍ザビエル・ミッシェル学長にお会いした。ギュー理事長は〝X〟を19歳・飛び級で卒業した才女であり、国立農業研究院長を兼務する国務省の人間。一方ミッシェル学長は陸軍中将であり、通訳は逐一〝将軍〟と呼んだ国防省の人間である。将軍は理事長を品位高く補佐し、終始控え目であった。

聞きたいことは山ほどあり、時間を気にしながら質問を吟味した。先ず教育理念について。「理工系の最高学府である〝X〟は国防省管轄だが、大多数は軍務につくわけではないとすれば〝X〟の学生としてどのようなキャリアパスを念頭に置き教育しているのか」といった人材育成哲学。次に競争相手について。「日本でも『教育の競争力を高める』といったキャッチフレーズが唱えられているが〝X〟に『競争意識』はあるのか？ 〝X〟の場合、米国流ランキング

エコール・ポリテクニクを訪れたナポレオン／Bridgeman Art Library／PANA

付けなどに超然（ゴーマン・レポートでさえ驚くべきはパリ大学がフランス第1位となっている！）としている様子であるが、具体的に競争相手としてどのような大学を想定しているのか」。次に人格とリーダー教育について。「〝X〟がフランス各界の将来の指導者を教育する上で、金銭以外の価値を醸成することも大きな要素と思われる。とりわけ軍務についたり公務員になる場合〝ノーブレス・オブリージュ〟がその後の職業生活を支え、誇りに繋がる場合が多いと思われる。学生に適切な勤労観、倫理観、使命感、リーダーシップを植付けるためにどのような特別な工夫をしているか、またこのような学力を超える部分についてどのように成績評価するのか」。更に公的サービスとリーダー教育について。「日本のキャリアエリートとは次元が異なるようだが、それにしても日本はやや行き過ぎたエリート批判、官僚批判により、官僚機構が委縮し、窒息しかかっている現状がある。バランス問題があるにせよ収入面も含め彼らにある程度の特別扱いは必要であろう。フランスはリーダー層の扱いが理想的な状況にあると思うか」——といった対話をした。

残念ながら〝X〟トップの見解を逐一記すスペースがないけれど、頭脳を回転系に譬えれば「早い頭」よりむしろ「強い頭」が国家リーダーには必須、との理念が一貫していたと思う。また「フランス人がナポレオンを否定しない限り〝X〟は国の指導者や高級官僚の教育機関であり続けよう」といった演繹的な自信が印象に残った。機会平等でなく、結果平等の〝金太郎飴作り〟のような基調の我国の教育を彼等がどう見ているのか?——エレベータまで見送った理事長と将軍は最後に「お国に栄光あれ」と述べた。

No.2

「新貴族」選出法の震撼と「数学」認識

『選択』25 2009年2月

ロマン・ロランの長篇作品『ジャン・クリストフ』。クリストフの恋人の弟であるオリヴィエ青年が、生涯高い生活を保証される名門エコール・ノルマルに受験する個所がある。一度は受験に失敗、最後の機会の2度目で合格し卒倒する場面。エコール・ノルマル(フランスで通称〝ENS〟)に学んだ作家ロランが体験を作品に織り込んだのであろう。

また難解な抽象代数学「群論」の創始者エヴァリスト・ガロアは生前、〝数学の王様〟F・ガウスにさえ理解されない程の高い数学の天才を示した。ガロアも名門リセ(高校)、ルイ・ル・グランに学び、飛び級で最優秀なクラス、数学特別学級(マッチ・スップ)に進級した。伝説によれば、父の自殺やエコール・ポリテクニク(〝X〟)の口頭試問において、彼にとって数学の愚問を発する審査官に立腹し、黒板消しを投付けたことで受験に失敗。その後〝ENS〟に合格。しかし不幸に不幸が重なり20歳、革命運動に身を投じ決闘で死ぬのは周知の通りである。

〝X〟が理工系で産業界、経済界、政界のエリートになるのに対し、〝ENS〟は高等師範学校として哲学界、研究教育界、数学界に別格的な名声を博している。出身者に形而上学的な唯心論的実証主義の哲学者A・ベルグソン、無神論的実存主義者J・P・サルトルやS・ボーヴォワール、エリートなのに肉体労働を志願し、フランスの貧しい同胞の苦しみを共有するため断食して絶命した哲学者S・ヴェイユ、細菌学者L・パスツール、「フーリエ級数」のJ・フーリエ、「ルベーグ積分」で著名なH・L・ルベーグ、位相幾何学のA・ポアンカレなど。G・ポンピドウ元大統領など多数の政界要人のほか、毎年表彰されるノーベル賞より難関といわれる、4年に一度の数学フィールズ賞において、〝ENS〟は世界で断トツの受賞実績を誇る超級グラン・ゼコールなのである。

＊

我国では〝偉大なフランス〟の情報は少ない。旅行記など多々あるが高等教育システム等の実体を詳述した書物は殆ど見当たらない。誤解を恐れずにいえば、フランスで最優秀な学生は、例えばパリ大学ソルボンヌなどではなく、エリート校である超級グラン・ゼコールへ行く。日本でこうした事実が余り知られていないのは、〝超級〟に関係した日本人が僅かか、筆記試験無しの特別枠入学のため実態がなかなか明らかにならないからであろう。今回パリで30年以上フランスに生活し、子息をグラン・ゼコールに入学させた方の体験談をお聞きした。

それによれば小学校1年から留年、飛び級で篩《ふるい》にかけられる。そして名門といわれるリセ（高校）ルイ・ル・グランやアンリ・キャトル等に子供を入れることが最初の超難関。因みにフランス植民地だったアフリカのマリやチュニジア等にも高級リセはある。そこで最優秀な学生は〝X〟や〝ENS〟や〝ENA〟を受験・合格し、卒業・帰国し国主や大統領などになる。

さて話を戻せば、遊び盛りの子供にとってフランスの長い休暇制度も勉学集中には逆風の模様で、加えて親の忍耐や子供への管理能力も問われる。目出度く名門リセ入学後はこれまた数学を中心に振るい落としの連続の日々。そして揉みに揉まれ、大学入学資格を得るための統一国家試験・バカロレア（baccalaureat）にほぼ満点合格すると、校長が大学ではなく「プレパへ行けるかどうか」を親に打診なく学生の行先を決める。プレパ（preparatories）とは〝X〟や〝ENS〟、高級経営大学院である〝HEC〟（アッシュウセー）など超級グラン・ゼコールへ挑戦する為の、リセの中に用意されている大学レベルの2年間の準備学級。このプレパの入学から真の受験競争が始まる。理系は無論、文系でさえ数学が最重要であり、筆舌に尽くしがたい知力が要求される。その様子は「2年間は太陽を見る時間がない」と比喩される程。ここでグラン・ゼコール受験が困難と判断された学生はパリの大学や、他の職業へ移る者も多数出る。

一方合格の可能性があると判断された学生はコンクールと呼ばれるグラン・ゼコールの入試テストへ。「数学」でも「物理」でも1項目4時間の論文試験が午前、午後2項目。それが延々

2週間続く。従って飛び抜けた学力の上、体力、気力がないと勝ち残れない。一例であるが〝HEC〟の「社会科」問題など、全世界の第2次世界大戦後50年史の〝全部〟を知らないと合格はない。それはあたかも「蒸留水の原理」で足切りしていく現代版「科挙」のような過酷なテスト。第1次論文筆記テストが終了すれば、コンピュータのネット上で全員の氏名と得点が公表される。この自己との格闘のような試練を通し、思考力、表現力、使命感、倫理観――そして次代を担当するのだ、といった国家への自覚が厭でも目覚めていく。仕組みが受験生を目覚めさせていく、ともいえよう。筆記試験を通過した合格者には、今度は同等以上の口頭試問。5名以上の審査官からあらゆる質問攻めにあい、重要視される内申書も過大、過小評価は殆ど表出するだけでなく、人間としての沈才（ずっしりとして落ち着いた様）の程度と全人格が露呈する。そして最終合格者は「駱駝が針の穴を通る」確率で選ばれる、とのことであった。仮に若干のオーバートークがあったにせよ実態を推察するに十分であった。

＊

〝ENS〟出身のP・コロンバーニ氏と2008年秋パリで対談した。世界の原子力発電を牽引するAREVAグループ取締役会議長で、フランス原子力庁長官だった核物理学博士である。原子力エネルギーの話題は別に譲るとして、政府による〝持続可能な研究開発長期プログラ

日米仏の数学研究費・国全体

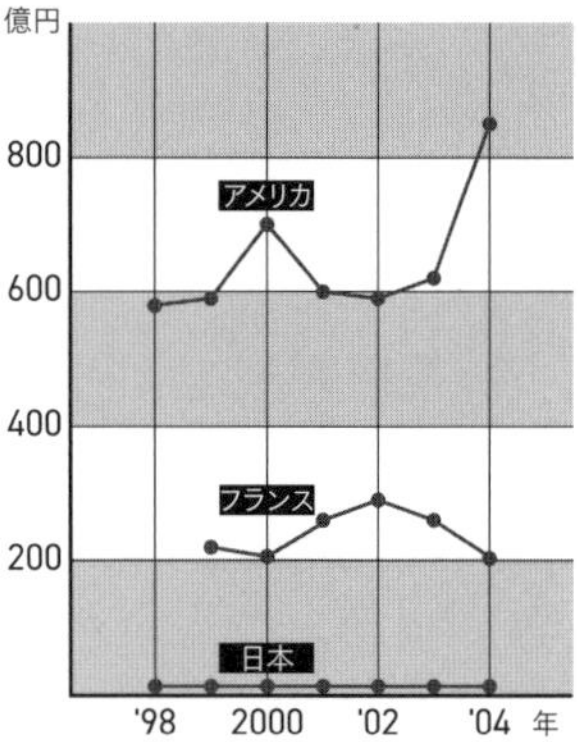

米仏の数学研究費・1人あたり

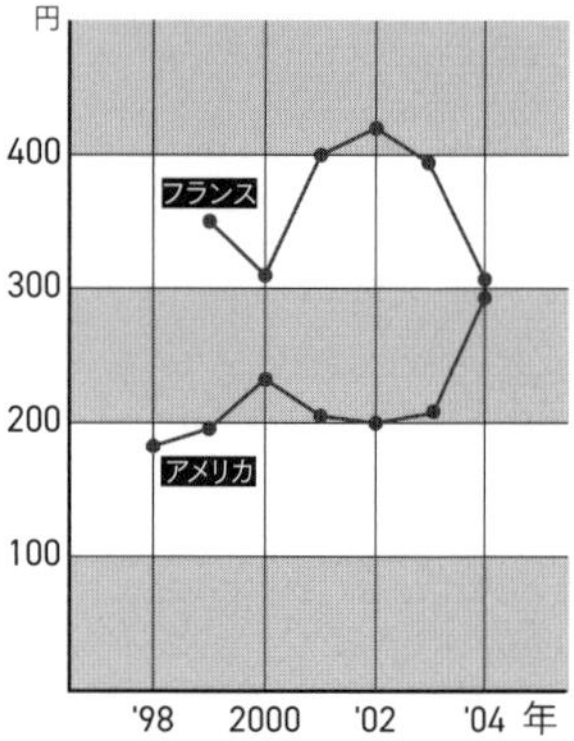

日米仏の数学研究費（出典『数学イノベーション』工業調査会）

ム〟について、国家の宝たる〝X〟出身のM・ギュー理事長と〝ENS〟出身の氏が共同委員長となり政策策定中とのこと。理系は自然科学、文系は人文・社会科学を指すが、文系でも諸学実践上の根本となる「科学の女王」数学が沈才を測る要件であることを強調した。また米国で「エンジニア」は単に「質の高い技術者」という意味だが、フランスで「エンジニア」とは「戦略に参加できる人物」という意味。余談だがこれは中国と同じ概念であり、因みに胡錦濤国家主席のレジュメ上の〝職業〟は「エンジニア」である。

氏の強調するエートスは、政治を行うにしても、科学技術が分からなければ高次元の戦略に参加するのは難しいという点。世界に先駆け原発行政を主導したようにフランスでは国の未来に目線があるため「産業経済力は科学技術の一領域」としての視界が広がる点だ。

しかし日本では、いつも目先の〝今々の景気〟が視界を蓋うので「科学技術は産業経済の一領域」との定見が支配する。政治の中において、国際競争力の蘇生が、戦略レベルで真に議論が展開されないのだ。

そういえば霞が関のキャリア官僚も、一般に技官はなぜか事務官にはなれず、事務次官になれない。元経産省の友人によれば、明治時代の太政官令の慣習がいまだ隠然と残っている為だそうだが、我国が真の国力を高め、長期の国際競争に勝ち残るには、シーラカンスのような、化石化した制度もオバマ流に「change」させる必要があるのだろう。

No.3

ENAに見る指導者の姿と形

『選択』26　2009年3月

フランス上院議会はパリのリュクサンブール公園の中にある。この公園の南出口の一角に、超級グラン・ゼコールであるENA（略称エナ：国立行政学院）の本部がある。本校はアルザス地方の中心都市ストラスブール。〝ENA〟は〝X〟や〝ENS〟のような18世紀にできたグラン・ゼコールと異なり、ド・ゴール将軍の提唱で1945年創設された大学院レベルの最高級官僚養成所。卒業前のインターンシップ段階で、既に地方の副知事ポストからのスタートが約束されている程の「新貴族」養成機関である。

〝X〟や〝ENS〟へ入学するには、バカロレアに合格した後、準備学級であるプレパへ行くことが必須であることは前項で述べた。一方例外はあるけれど〝ENA〟へ入学するには、プレパ（から入学する手段もあるが）に相当するScience-Po（略称シアンスポ：国立パリ政治学院）に合格する必要がある。プレパ同様相当な難関。しかしプレパは大学レベルとはいえ名門リセに付置された準備学級。2年間学んでも証書（Diploma）も何もないのに対し、シアンスポはそれ自体が通常5年間学ぶ歴とした社会科学系の名門グラン・ゼコールという違いがある。

ENAへの事実上の登竜門、シアンスポのF・ベリロー副学長とも面談した。氏によれば、創設の理念は1871年、ドイツとのプロシア戦争に負けたフランスは領土の1／3が奪われ危機的状態となった。当時の歴史学者E・ルナンら知識人が敗因を分析し「今までの教育に欠陥があった」と結論付けたのである。その結果、大学とは別の独自エリート教育の必要性を指摘したのだ。そして高次元で政治科学に資する学際的教育を指向し、国立化した。政治科学といっても幕末期の佐久間象山、橋本左内らが藩校で強調したのと同様に、「数学」が諸学実践上の根本であるとし、陽明学にも通じる知行一致の実学を運用の中心とした様子である。

因みにシアンスポOBとしてミッテラン元大統領、シラク前大統領、ドビルパン前首相ほか多数の首相、ガリ国連事務総長、カーンIMF専務理事、トリシェ欧州中央銀行総裁など要人を輩出している。シアンスポは5年かけて修学、これらの蒸留水レベルの頭脳明晰者に対し、単純計算で約15倍の競争率の試験に合格した超純水レベル約100名のみが毎年ENAへ入学する。このOBが即ちENAのOB（エナルク）でもある。又ENAには別枠の口頭試問だけで入学する海外から参入する公官庁系の学生100名前後がいる。正規ENA入学生の将来の海外人脈作りへの布石にもなっている。

ENAのパリ本部で学長にお会いした。1週間前に予算大臣からENAの学生に向かって成績順に希望する官庁の職種（職群＝corps）に就ける「卒業時の等級付けの廃止」の告知があった時である。フランスの日刊紙「ル・モンド」にも情報が掲載された直後でありこの話題から切り出した。エナルクでない現政府トップがＥＮＡの「権力の牙城」にひとつの攻撃を加えた形となったので——。

学長のＢ・ブォーコー氏は如才無い感じで、ＥＮＡ等級の歴史をド・ゴール将軍まで遡って説明した。高級官僚職の民主化、社会的下層階級への一部門戸開放、学生のプロフェッショナル化の徹底等々にも触れたものである。またＥＮＡでは27カ月の教育後、所謂インターンシップとして合計8カ月のプログラムがある。国外では、ドイツやイギリスなど欧州諸機関のトップ研修として、例えば大使館付きではなく大使に直接研修、フランス国内研修なら地方長官である知事や大都市の市長に直接研修が義務付けられる。フランスの一般大学では体験できないＥＮＡ超級エリートシステムである。他方でワーカー体験も必修であり、企業の統治者との研修も3～5カ月かけ全学生に義務付け。我国にもこうしたインターンを引き受ける著名な数社がある。残り3カ月は学生が進むべき道を選択する期間。全研修終了後、教授役となった大使、市長、企業社長などの評価のもと、採点され、点数が確定する。今回予算大臣が、この「点数による等級付け」の廃止を学生へ呼びかけた訳であり、エリートの世界の立ち居振る舞いのひとつの規範が話題となった。加えてENA学生も73％が賛成を表明した。学長は「点数による等級付け」の廃止だけでなく、ENA改革の一環として「入学の28歳年齢制限の撤廃」も検討していると付け加えた。

「哲学＝Philosophy」とは西洋から訓化した言葉と心得ているつもりであるが、大臣～学生～学長の一連の行動や思考を見ていると、フランスでは哲学がシステムに対する感覚だ、という概念が見えてくる。どういうシステムが良いか悪いかではなく、システムには一定の理念やルールや生成過程がある、ともいうべき感覚が伝わるのである。

＊

ENA学長を5年間担当した前学長のA・デュールマン氏とも別に対談した。氏によれば、〝ENA〟と〝X〟は職能エリートの双璧であり、行政職についた時点で殆ど同等。ENAの場合は入試時コンクールだけでなく、卒業時コンクールもある。入試時コンクールでは数学を筆頭に充分優秀な知識の有無、人間としての質実剛健さ、人物として資質・発展の可能性等を論文でも口頭でも見るとのこと。質問に対し必ずしも答えがある訳でなく「知能はある所までくると突き抜けるもの」と述べた言葉は印象に残った。試験とは、これを見極める作業なのです、と深い自信を示したものである。卒業時コンクールの口頭試験では10人の審査官がひとりの学生を取り囲むように質疑応答。審査官には司法官、大学教授、海外の見識者も入る。官僚職は30〜40年、途中で思考に柔軟性を失い固まってしまうレベルの頭脳では国も国民も困るのだ——とも。シラク大統領やジュッペ首相の顧問だった同氏の専門は古代ギリシャ考古学。次いで「行政とは管理させる為にあるのではなく、変化させる為にある」との言葉は琴線に触れた。更に「フランスは長い時間をかけ、国家（state）が国（nation）を作った」とも。同席したNEDOパリ総局・シアンスポ出身のC・ドゥブイ氏もトップの思想を初めて知った様子で「〝X〟も同様、〝ENA〟の学生への実践や思念は体験者しか知らず、国内でさえ外部へ全く説明されていない!!」と何度も呟き、驚きを隠さなかった。

　国家指導者育成の世界では、英国、米国、中国でもエリート作りに躍起となっているのは自明である。我国にも「突き抜けるような頭脳」の若者は多数いる。「人物はいるが国から権威付けされる仕掛けがない」のだ。我国にはシステムに対する感覚、ともいうべき哲学がないのであろう。システム構築の是非は議論を深耕する必要がある。しかし優れた仕組みがあれば、世の波に浮いているレベルの、安っぽい知名度や笑中有刀《しょうちゅうゆうとう》、祖父の権力基盤継承や親の七光りが氾濫する政界の「いとおかし」現象は減少し、変化できる可能性がある。

No.4

エリゼ宮で大統領顧問との対話から

『選択』27 2009年4月

エリゼ宮はパリの高級ブティックが並ぶ、道幅の狭いフォーブル・サントノーレ通りに面している。1722年完成、ナポレオン・ボナパルトが正式にエリゼ宮を住居としたのは1809年、それ以来エリゼ宮は国家元首の屋形になったそうである。立憲君主制だが成文憲法が存在しない英国、大統領制と連邦制による連邦共和国制の米国、などとは異質の議院内閣制をとるフランスで大統領の国家元首としての権限は頗る大きい。エリゼ宮はその中枢執行機関である。それでも「宮殿としての威容が希薄」とでもいうのか、ロシアのクレムリン宮殿や米国ホワイトハウス、中国の中南海《ちゅうなんかい》などのある種の威容と異なり、少なくとも外観からはフランス最高権力者の公邸のようには感じられない。1970年以来数十回パリに来ているけれども宮殿内に入るのは初めてである。

エリゼ宮の正面玄関、共和国衛兵が直立不動の立ち番をしている正門から入る。「名誉の守衛所」で手続きをすませると中庭に出る。訪問日の前日は、サブプライムローンに発端したアメリカ金融危機のヨーロッパへの波及問題でイギリスのブラウン首相、ドイツのメルケル首相、イタリアのベルルスコーニ首相がサルコジ大統領と会談していた。正面玄関にあるダルマン作の彫刻作品、白大理石で作られた帆掛け舟のような旗200本が見える。フランスの書籍によればエリゼ宮は大小約330の部屋、スタッフ約120名、人件費約15ミリオンユーロ（2006年度）との記載があった。シャンゼリゼー大通り近くまで広がる宮殿内のパルク（公園）、170ヤード・パー3程度の広い裏庭ではミッテラン大統領夫人などはゴルフをしていたそうである。官邸はコの字型になっており、公邸側の「銀の間」近傍の地下には「核ボタン装置室」がある。執事は玄関から大統領執務室に向かって右「祝祭の間」側の、楕円テーブルのある2階応接室に案内し消えた。部屋にはJ・L・ダビット作のような大きな「騎乗のナポレオン」の絵画が壁に架かっていた。

＊

サルコジ大統領の大学改革担当特別顧問であるB・ベロー（Belloc）氏が入室。フランスの大学改革の立案者であり、10年前までトゥールーズ大学学長だった御仁である。大学と超級グラン・ゼコールの関係、特に最高級の〝ENA〟、そのENAよりも事実上名声が一段と高い〝X〟、更に最上位の学歴〝X-Mines〟（Xを最優秀で卒業後上位数名が行くパリ国立鉱山学校卒）、〝X-Pont〟（Xを卒業後に上位数名が行く国立土木学校卒）等と一般大学との社会格差、国際競争力加速のための高等教育改革の現状と将来について対話した。

サルコジ政権の大統領重点政策として、先ず大学の性能をアップするためフランス国内グルノーブル、レンヌ、モンペリエ等の選ばれた10の大学サイトを強化。そのもとで「教育」と「研究」と「イノベーション」の3つを統合的に改革する方針について見解が披露された。地元の競争力ある企業と大学との協業を視界にいれ、R&D費とは別に50億ユーロの競争的資金を投入し、科学技術的に魅力的なキャンパスとすべく産業競争力基盤整備を推進していると述べたものである。また大学との連携が希薄であった国立研究機関CNRS（理化学研究所に相当3万名）やCEA（原子力中核だが産業技術総合研究所に相当1万5000名）とリンクさせ、R&Dで協業を強化し大胆な税制控除を履行、双方の機能の相乗効果を計画している——とのことであった。

また「国家の宝」ともいわれている超級グラン・ゼコールと一般大学の双方の発展とバランス関係は真に重要な政治的課題との認識が示された。確かに米ソも見習った原子力を国策の中軸に据えた世界に冠たるエネルギー行政。時代を先取りし20年前から時速515㎞を達成した最速列車TGV。米国が宇宙へ行くならとフランスは海底6000m、世界初の深海艇ノーチルを進水。米国ジェット戦闘機が音速の2倍を出す機体性能は5分程度が限界なのに対し、マッハ2のまま2時間以上飛行を可能としたコンコルド――等々。言うまでもなく「軍事用」でなく「民間用」というところが凄いのだ。こうしたフランスの国威を高めている中長期的世界観、主要国に先駆けて科学技術を主導する発想も、開発も、達成も大半超級グラン・ゼコールOBの手腕なのである。

一方我国のように殆ど学歴格差がなく東証一部上場企業だけで1600社以上もある現状。二部上場、中小企業へ裾野が拡大する圧倒的な民間力の存在感という点で日本は秀逸、との発言もあった。〝X〟にしろ〝ENA〟にしろ最高級の職能集団であるが研究集団ではない。

又医者や弁護士志望に超級グラン・ゼコールは無いことも明示しておきたい。ともかく最優秀な学生の大半が超級グラン・ゼコールへ行く現体制は課題であり、CAC40（公営も含めた大企業数）以上に産業の裾野が広がらない遠因を指摘しつつ、幅広い研究開発をするのは、やはり大学ではないか?――との持論が表明された。近い将来〝X〟とパリ大学との共同研究等も模索している様子であった。

*

一方フランスでは名門リセからグラン・ゼコールに行かずとも、各人の適性に応じシェフ、ソムリエ、家具職人、漆工芸など実に29種類にも及ぶ職人名匠集団の仕掛けもある。ゴルフや囲碁など勝負事でなくとも早くに自分の生き方を選択し、適性を磨き頑張ればMOF＝「国家名匠」の称号と名誉獲得の道も開けており、幾つもの高いライフパスの選択が可能である。我国でも大森・蒲田界隈の精密加工職人や福井・武生の家具職人など全国に惚れ惚れする名匠がいるけれど、極めて僅かな職種にしか「人間国宝」の道はない。それも事実上80歳前後になってから。国家戦略上も、外交上も、海外事業展開等も含め、個人も国家も損をしているのだ。フランスでは〝X〟や〝ENA〟同様、「国家名匠」への厳しいコンクールに勝利すれば、20代でも多くの職種に人間国宝級の名声が得られ、個人的にも事業的にも収穫を得、職種によっては外貨まで獲得、胸を張って一生を生きることができる社会でもある。

フランスのように高等教育選抜基準が階級文化の構築を明確にしている場合、親の経済力を含めた教育の不平等は目に付きやすい。教育文化と階層文化の連続性が可視化できるからである。この点日本の場合、双方の文化の連続性は遥かに見えにくい。

一人ひとりの才能が開花する時期は違う。だから学業成績だけで早くから人間の将来が決められてしまう不条理感はフランスに無論ある。しかし同時に各種成績による選抜は機会平等主義を掲げる共和国の理念に適っている、との理解もまた抜きがたく存在する。教育がブルジョアの子女に有利であることは否定できないが、一方プロレタリア出身でも優秀な成績を収めれば超級グラン・ゼコールに入れる。大統領顧問との対話でも「金太郎飴教育」とは対極にある「選抜教育」自体の弊害論は、課題にものぼらなかったのである。

No.5

深海艇ノーチルに試乗して

『選択』6 2007年7月

通産省・工業技術院の大型国家プロジェクト「マンガン団塊採鉱システムの研究開発」に参画していたときのことである。国連による国際海洋法条約が1982年に採択された。日本は土地もない資源もない何もない国であるが、技術力があれば世界の公海に出て深海に無尽蔵に眠る鉱物資源を取ることができるようになった。即ちアワビを取る海女のように、ニッケルやコバルトなど高価なレアメタルを多量に含有するマンガン団塊を自由に採鉱してもよいことが決まったのである。資源のない我国が採鉱に向けて動いたのは自然である。

ハワイ沖など約5000m下の深海は大陸棚となっており、人の握りこぶし大のサイズであるマンガン団塊が広く分布している。これを海底で拾い集める技術、集めた団塊を母船まで揚鉱する技術、計測制御する技術等々があれば原則可能なのだ。

また母船を作ると、採鉱途上、太平洋の真ん中でハリケーン等にも見舞われる危険性がある。海底5000mでの作業を中断し、母船まで超重量級の各装置を支障なく戻す為の限界時間、気象条件を推測した避難航路を割り出すコンピュータ・シミュレーションなど様々な科学力、技術力も問われる。与えられた開発期間と国家予算などから、特に海洋先進国の誉れ高いフランスとの協業のため、何度もフランスへ行くことになった。

IFREMER（イフレメール：事実上の海洋省・フランス国立海洋開発センター）の本部はパリだが、地中海に面する南フランスの町ツーロンが活動の本拠地。人口約15万人、フランス海軍の地中海艦隊の司令部がある。コートダジュールの西端ツーロンは、フランス革命の時ナポレオン1世が砲兵士官として活躍、イギリス軍を撃破して一躍有名になった軍港でもある。

＊

日仏協議の合間であるが、ツーロンにはIFREMER所有のフランスの誇る深海潜水艇ノーチルが停泊していた。この領域もフランスが世界初。６０００ｍまで有人潜水探査ができ、今でも世界の海の97％までカバーしている。総重量19・5トン、全長約８ｍ幅2.7ｍ高さ3.8ｍの黄色の船体はまぶしく光っていた。心臓部にあたるキャビンは耐圧殻の構造体となっている。コックピットの内径２ｍ、材質チタン合金でできた肉厚は２００㎜。動力源は２３０Ｖで37kwアワーの鉛電池。推進速度は縦方向で1.7ノット（時速３・14㎞）、乗員数３名（パイロット２名、研究者１名）、潜行時間13時間だが非常時は１３０時間まで可能とのこと。コックピットには３カ所に出目金のような半球形ガラス窓がついており、よく見ると特殊ウエーブが細かなピッチでかかっていた。この魚眼部が6000mの深海で600気圧の圧力を受けると圧縮し、コックピット形状と一致して完全な球体となる。深海では大気中の自動車や飛行機のようなエンジンは搭載できない。鉛電池で充分なのか――聞いてみた。IFREMERによれば、深海に潜っていく場合は錘をつけて地球の重力を利用する。浮き上がってくる場合は錘を切り離し、深海艇の持つ浮力、即ちアルキメデスの原理で母船まで戻ってくるので、この間姿勢制御以外ほとんど鉛電池を使用しないとのことであった。

そのときノーチルは、処女航海の途上沈没した例の英国・豪華客船タイタニック号の海底における依頼調査を終えツーロン港に戻ってきた直後。IFREMERの研究者に、ドッグに入りオーバーホールしているノーチル号の内部へ入ってよいかどうか聞いてみた。何しろフランス機密の最新鋭深海潜水艇。しかも私は役人ではなく民間人。少し躊躇していたが、国家プロジェクトを担当中は半官半民の立場でとの解釈でOKとなった。彼等によれば私は日本の民間人として最初のノーチル号搭乗者となったのである。

金属製のハシゴを使いハッチからコックピットに入る。しかし私の背丈は1.8m以上、体重90kg近く。ハッチの直径はメタボリック状の胴回りでは簡単には入れなかった。それに一応、流体力学や流体工学を学んだので、流体境界面やシール設計の難しさを知っている。ハッチの擦り合わせ部分に髪の毛ほどのキズが付いても、そこに流路が形成され深海の高圧下で人間は圧殺される。やっとの思いでコックピットの中に入ると、今度は余りの狭さに慄然となった。内径2m内に大の男3人が身をよじるように入ったら直ぐに酸欠死、と短絡させるほど狭かったのである。内部は3カ所の魚眼窓を除けば殆ど全方位計器だらけ。おまけにIFREMERのエンジニアが「ハッチを閉めると実感が湧く」といって閉じた途端、内部温度上昇で汗が滝のように出てきた。汗をふきふき魚眼窓から外部を見ると、直線のはずの外部レールが曲がって見えたものである。

翌日、ノーチル号はツーロン近港の浅瀬を潜ってくれるサービスがあった。しかし私は嵩高いとの理由でハズされたのである。太陽光が届くのは概ね100mなので浅瀬といえども数百mは暗黒の世界。人間の手のように優しく動くマニピュレータ、暗黒の世界に棲む眼に発光機能のある魚類、地震が起きづらい地中海溝、熱水鉱床やプレート構造など見たかったがそれは叶わなかった。IFREMERによれば、地中海にはナポレオンI世が戦って撃沈したイギリス戦艦や、古代ギリシャ・ローマ時代の建造船などもそのまま存在が観察されている。ノーチルのタイタニック号依頼調査などでは1回の深海潜行で約8億円のビジネスとのことであった。

＊

日本の民間人として初めて乗ったノーチル号

ノーチルから約5年遅れ、我国は深海艇『しんかい6500』を建造し無人探査で最大深度6527mを達成、その後1991年から有人潜行を開始したのである。『しんかい6500』により深海生物の研究をはじめ日本海溝、海底火山、海底の地すべり、深海の表層雪崩などプレート移動による地震や地球史の解明に向けかなりの観察もできるようになった報告がある。

最近読んだ『プルームテクトニクスと全地球史解読』（岩波書店）などによれば、今までは地球は10個程のプレートでできており、これを剛体とみなして力学的に支障はない、としてきた。この剛体間の境界には「離れる」「擦れ違う」「衝突する」の3種類の相互作用が存在し、これで地球科学の殆どを説明しようとする「プレートテクトニクス論」が主流で成果もあった。しかし深海探査や人工衛星による測地等の研究で、最近プレート自体が剛体ではなく、変形したり破壊されるとする見解が出てきた。それが「プルームテクトニクス論」に繋がるそうだ。

これらによれば日本列島の成り立ちの歴史は、5億年程前に南半球にあった揚子地塊《ようすちかい》が、太平洋の形成に伴って約2.5億年前にシベリア地塊と一緒になり、その淵にできた原日本列島の島弧に伊豆半島が衝突し現在の日本列島の形になったとしている。今後5000万年後には北アメリカ大陸とオーストラリア大陸がユーラシア大陸と衝突し、日本列島は挟み撃ちになり、2億年後には新しくできる超大陸〝アメイジア〟の内陸部に僅かにその傷跡をとどめることが予測される――という内容である。悠久の地球史から見れば日本列島は現れても直ぐに姿を消す、うたかたの存在なのだ。現在の難解な地球環境問題を通り越し、今の人類はとっくに絶滅しているであろうこの時期の研究領域で、日本の地質学者が世界の最先端を走っていることを知り驚いている。

第5章 ◎ アメリカの戦略的文化力

No.1

ノーベル賞以上の人

『選択』3　2007年4月

2006年久し振りにニューヨークへ行ってきた。国立環境研究所の畏友・徐開欽博士からマンハッタンにある客員研究員を兼ねた名門コロンビア大学の案内を受けたのである。ここは卒業生、教授、研究員等を含めたノーベル賞受賞累積者数が80名で英国ケンブリッジ大学に次いで世界第2位、全米第1位とのことである。湯川秀樹が日本人初のノーベル賞を受賞した時もコロンビア大学教授として在任中であった。大学はセントラルパークにほぼ隣接したアッパーウエストサイドに位置する地の利がある。何故なら国連による国際会議などの合間に世界の指導者が訪問するため、各国の大統領や首相などの記念講演が頻繁に行われるトポスでもある。また最近では米国の一個人として史上最高額の2億ドル（約240億円！）の寄付金が大学にもたらされ話題となった。

案内を受けたキャンパスの物理館の一角に呉健雄《うちぇんしゅん》のポートレート入り額縁が掲げてあり私にはとても感慨深かった。中国系アメリカ人物理学者である呉健雄女史は南京大学に学んだ後渡米し、カリフォルニア大学バークレー校で博士号を取得。プリンストン大学にも籍を置いたが、コロンビア大学で実に35年以上研究と教鞭をとってきた極めて著名な学者である。

彼女は、米国で研究していた理論物理学者である楊振寧と李政道が構築途上であった「パリティに関する非保存」を実験物理学の立場で検証した、知る人ぞ知る〝知の女王〟でもある。彼女は中華民国大総統となった袁世凱《えんせいがい》の孫である袁家騮とバークレー時代に知り合い結婚。新婚旅行に出かけるため到着した飛行場で、李政道から「パリティ非保存の理論成立」の知らせを聞き、何とハネムーンを中止。そのまま実験場に戻った。そして1週間で彼らの理論を実験で実証した。量子力学の世界の話であり、少し難解かもしれないが「弱い相互作用＝〝弱い力〟」下の物理現象として、15秒ほどでベータ崩壊する中性子の観測によってパリティの対称性が破れる（成立しない）ことを検証したのである。

「パリティ」とは数学と量子力学で少し意味合いが異なるが、左右対称あるいは偶奇性、等価性の機能といった概念である。量子力学において〝弱い力〟の下ではパリティの対称性は破れないとされていた。

では〝弱い力〟とは何か？——

我々の住む自然界には「4つの基本的な力」が存在している。我々は泣こうが喚こうが「4つの力」に支配されている。〝重力〟〝電磁気力〟〝強い力〟〝弱い力〟の4つである。重力以外の3つの力は、すべてミクロの世界に現れる。別の切り口でごく粗々《あらあら》に言えば、重力は一番身近だが「4つの力」の中で最も弱く、素粒子の世界にのみ作用する〝弱い力〟よりも弱い。また電磁気力は重力より桁違いに大きいが、その大きさが「距離の2乗に反比例」し、且つ「無限に遠くまで到達できる」点では重力と同じ。〝強い力〟は作用範囲が原子より狭いが電磁気力の100万倍。蛇足だが、重力はあたかも〝神〟のように引力だけで斥力（しりぞける力）が存在しないのとは対照的に、電磁気力は〝男と女〟の関係のように異符号（＋と－）同士は引き合い、同符号同士は斥力が働く点が大きく異なる――くらいで説明になっているだろうか。

＊

ともかく呉健雄による「弱い相互作用下における中性子のベータ崩壊」の物理的検証によって楊振寧と李政道は1957年ノーベル物理学賞を受賞した。けれど彼女は受賞の対象にならなかった。この事実はノーベル賞選考委員会の性差別問題として世界を巻き込んで非難されたのである。しかし彼女の生き方と人格に対し受賞以上の名声が授けられたといえよう。

先ず自然科学界の名門プリンストン大学の最初の女性名誉博士号授与者となった。また1975年には名誉あるアメリカ物理学会の初代女性会長に就任。更にアメリカ国家科学賞を受賞。1978年にはイスラエルのウルフ財団によって優れた科学者に与えられるウルフ物理学賞の〝初代受賞者〟に選ばれた。1997年、彼女が死去すると李政道は「呉健雄は物理学界の巨人」と特別なコメント付きで絶賛、更にコロンビア大学は死んで尚プーピン物理学名誉教授職を授与した。また中国科学アカデミーは彼女の偉大なる業績を記念して2752番小惑星を「Wu Chien-Shiung」と命名したほどである。彼女は中国で受賞者に比肩するほど著名であり、米国では山といるノーベル受賞学者以上の名声を獲得している。

ノーベル賞といっても文学賞では特に英語の優位性、経済学賞ではノーベル家親族による名称変更提案、平和賞に至っては基準の欠如など指摘されている。普遍性が問われる自然科学領域でも、「寄生虫発ガン説」が誤りだったのに受賞したデンマークの学者や、本来受賞しても何らおかしくないとされる日本の病理学者・山極勝三郎、細菌学者・北里柴三郎、ビタミンの発見者・鈴木梅太郎などが受賞しなかった不透明な事例がある。欧米でもあるこの非の認識が、米国で毎年のごとくノーベル賞受賞に関する報道が「NYタイムス」等で大きな扱いにさせないのであろう。フランスのサルトルはノーベル賞受賞を辞退した。インドのガンジーは候補者要請自体を5回も固辞した。米国の名門大学の多くが同様であるが、ここコロンビア大学でノーベル賞を受賞してもキャンパス内でさえ、さして騒ぎにもならない文化的高さなのである。

＊

こうした日米文化ギャップはスポーツの世界でも指摘できる。1984年ロスアンジェルスオリンピックが開かれた。当時私はニューヨークで石油メジャー・エクソンの幹部3人と昼食を取っていた。しかし彼等は食事中に話題とした自国西海岸で進行中のオリンピックの事実を知らなかったのである。このような例は小冊子が書けるほど。無論、受賞やメダルを否定するつもりはない。しかし我国ではノーベル賞や金メダルを取るとメディアを中心に天地が逆転したかのような騒ぎとなる文化レベルなのである。

我国で価値観の多様性が叫ばれて久しい。しかし未だ〝ゆでガエル〟化した大人の価値観が全身マヒの如く一元化している。さらに子供達がそうした親の背中を見て育つ。

一例だが演奏家最高の栄誉となる5年に1度のショパンコンクール。ここでの入賞は毎年10名前後受賞するノーベル賞より遥かに難易度が高い。内田光子は1970年日本有史以来初めて第2位を獲得した。チャイコフスキーコンクールも同様。バイオリン部門で諏訪内晶子《すわないあきこ》が、最近ではピアノ部門で上原彩子が優勝した。世界囲碁選手権でも、フィールズ賞でも絵画でも、コンペテイションのない世界でも、ダントツの日本人は多数いる。例えば時の体制に迎合せず6000人のユダヤ人を救った杉原千畝《すぎはらちうね》、教えた全ての子供の可能性を引き出した斎藤喜博《さいとうきはく》、公害問題の宇井純《ういじゅん》、沖縄へ贖罪した若泉敬《わかいずみけい》等々、私見であるが呉健雄のようにノーベル賞以上に価値のある生き方をした日本人は沢山いる。日本はサルトルのようにいつ頃ノーベル賞辞退者が出るのだろうか。

NHKの夜7時台ニュース。毎日毎日イチローや松井を三振の連続であろうがなかろうがお構いなしに毎回打席ごと放映している。僅か30分のニュースにそれは必要なのだろうか。こうした報道を少し割愛して、例えば起承転結よくまとめて集約、あるいは縮小し、前述のような人物を選び、何をしたか、結果はどうだったかではなく、どう生きたか、どのような人格だったかの人間としての価値を、事ある毎に時間を割いて工夫して、子供達に知らせたいと思っているのは私だけであろうか。

No.2

ハーバードのＩＱとＥＱ

『選択』９　２００７年10月

自然科学（いわゆる理工系）を専攻した私は、以前から所用でＭＩＴ（マサチューセッツ工科大学）へも行き、ささやかだが学内も知っている。しかし隣接するハーバード大学との縁はなかった。ご縁ができたのは野村／ハーバード・ビジネススクールの「トップのための経営戦略講座」を受講してからである。一般に理系を出ても、メーカーに入り管理職や役員として「経営」を体験するにつれ、自己の専門が次第に不透明になる。私もそのひとり。その上「武士道」にも強い関心があるので専門性の不透明感も増大する。

このビジネススクールはハーバード大学ＭＢＡの現役教授陣が訪日、都内のホテルで１カ月ほど集中講義をする。講師はＪ・Ｌ・バダラッコ教授、Ｗ・Ｃ・ケスター教授、Ｊ・Ｊ・ガバロ教授他の布陣。講義終了後、連日夜も寝かせないほどぶ厚い資料を渡され、読まされ、缶詰状態となり、いわゆるケーススタディなど発表や質疑応答が繰り広げられた。このスクールには歴史が有り、講座修了者で大企業の社長や副社長になった人物が事実沢山いる。清華大学の教授職を兼務のまま受講したので、バダラッコ教授は私を「工学上の学兄」と呼び、私は彼を

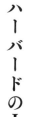

「ＭＢＡ上の恩師」と敬意を表した。

こうしたご縁で訪米時などボストンまで足を延ばし、たまにハーバード大学へ旧交を温めに行く。ところでＭＩＴのキャンパスはビル群がＥ52、Ｗ20、ＮＷ12といったように英頭文字に数字と説明があり判りやすい。これに対しハーバード大学のキャンパスは戸惑う。旧宗主国イギリスの伝統を受け継いだ深紅色レンガの点在する建物は、米国を代表する「知性」の雰囲気を彷彿とさせ、緑に映え流石に見事である。しかしハーバードヤードといわれるメインキャンパス内でさえ、建物を見て内部が類推できるのはワイドナー図書館や科学館くらい。大昔遊学したことのあるソ連のモスクワ大学のような中央集権的な建造物ともまるで違う。ヤード内の建物はEmerson、Coolidgeといった人名が冠してあるだけ。何処の館が何の学科なのか、内部は全く判らず参ったこともある。キャンパスに１００カ所以上あるとされる図書館群は大学図書館として世界最大であり蔵書数は１０００万冊以上といわれている。中でもこのワイドナー図書館の前に立ったとき、以前10年がかりで武士道の真髄のひとつ橋本左内15歳時の著作『啓発録』英完訳書を自費で完成・寄贈し、当時の図書館長から受取状兼感謝状を頂戴した記憶が甦り感慨ひとしおであった。

各界の指導者を輩出してきたハーバード大学は、メインキャンパス北にロースクール、南西にケネディスクール、チャールス川を挟んでビジネススクール等があり一段と景観も美しい。また少し離れたロングウッドには全米No.1の医学部もある。

いつぞやビジネススクールで世話になった先生と歓談後、教授室を出たところで、偶然にもサマーズ財務副長官（当時）がトコトコと廊下を歩いてきた。背はそれほど高くなく、どちらかというと猪首でがっしりした体形をしている。ローレンス・サマーズはMITで物理学を学び、卒業後ハーバード大学で経済学博士号を取得。28歳の若さでハーバード大学の史上最年少の教授となり、クリントン政権下の財務長官となった人物である。彼は両親ともペンシルベニア大学教授の学者一家のもとで育ち、父方の兄弟に公共財政理論でノーベル経済学賞を受賞したポール・サミュエルソン、母方の兄弟に一般的経済均衡理論でノーベル経済学賞を受賞したケネス・アローがいる。

いいところに来たというので彼を紹介された。サマーズ長官は名刺を一瞥した。通常セイコーの取締役（当時）といった肩書を見るとブランドの時計の話題となることが多い。しかし彼はカッコ付きで記されてあった（清華大学招聘教授）の方に関心がいったようだった。

「清華大学の教授？　これ朱鎔基さんの出た大学でしょ？」

これが第一声だった。当時中国の総理大臣でありＹＥＳと応じると、

「ならば貴方は朱鎔基のＩＱを知っているでしょう？」

朱鎔基首相をよく存じ上げているけれども、ＩＱまでは知らなかった。

「朱鎔基のＩＱは２００！」

と彼は言下に言い放った。感心していると、立て続けに質問の第2弾。

「ケネディのＩＱは知っている？」

対話に不即不離のつもりであったが矢継ぎ早である。暗中を模索していると、

「ケネディは１２５」。

偶然の邂逅にしてはウィットに富んだ洗練された雑学。加えて少しの対話の間でも、自分の得意な議論へ引き込む競争優位の姿勢が認められた。そうした姿勢に感服していると、

「ところで今の大統領のＩＱは聞かないでネ」——。

と述べ僅かにウィンクのような仕草で、若干高ぶった雰囲気を残し去っていった。当時クリントン大統領は例のモニカ・ルインスキーさんとの女性関係が連日報道されている最中であった。このニュースで、やつがれの分際ながら滑稽だったのは、ベートーヴェンのナポレオンに対する第3交響曲献呈断念もどきに、大統領から頂戴した『啓発録』感謝状に、諸葛孔明の『後《ご》出師表《すいしのひょう》』のように群疑満腹し、引越し時にゴミと一緒に紛失してしまったものである。

ここでクリントン大統領の名誉のため補足しておく必要があろう。サマーズ氏は無論知悉している筈である。現在のアメリカでクリントンの頭脳は極めて明晰、ブッシュの100倍くらい頭がよい――というのが米国知識階層の一致した定説。NASA（米航空宇宙局）史上初めて3代の大統領に連続して仕えたダニエル・ゴールディン長官と親しい私の友人によると、クリントンは先ず1回聞いた名前を忘れない（時に何かをメモる）。オーラが凄い。それに浴びるように書物をよく読む――とのことであった。

サマーズ氏は間もなく財務長官に就任。共和党のブッシュ政権誕生後は、ハーバード大学学長となった。しかしながら学内の経済研究所か何かの講演で「理数系の分野で活躍する女性が男性に比し少ないのは、生まれ付きの素質に差がある」との女性差別の舌禍が発覚。伝統370年米国最高といわれる大学で、歴史上初めて教授会で辞任に追い込まれた学長ともなった。

アメリカでもIQではなくEQ（心の知能指数：Emotional Intelligence）、即ち知能テストで測定されるIQとは質の異なる頭の良さが見直されている。EQの高い成功者が多いのだ。EQによる人間の真の能力とはIQでは判らない熱意、自制、意欲、忍耐、謙虚さなどの能力といった概念。IQとEQは必ずしも対立する尺度ではないそうであるが、IQの高いサマーズ学長のEQはそれほどでもないのかもしれない。

No.3

名門コーネルの景観

『選択』41 2010年6月

2009年初夏、或るご縁で台湾の台北市内ホテルで馬英九《ばえいきゅう》台湾総統とお会いした。周知の通り就任式における対中国政策として、任期内の「不統、不独、不武」(統一せず、独立せず、武力行使せず)の三不宣言をした御仁である。名門ハーバードの法学博士号を持ち聡明感の漂うスマートなイメージである。円形テーブルの筆者の左隣には総統の政策担当の主席秘書官。彼も米国バージニア大学留学組だそうで、主題後の雑談で米国の大学キャンパスの美しさについて話題が出た。彼によれば「コーネル、プリンストン、バージニア大学の順」といったものである。バージニアは州立なので、言葉通りであれば全米州立大学中No.1の美しさなのであろう。また西海岸の名門スタンフォードでMBAを取得した古い友人によれば、景観ランク「第1位コーネル、第2位プリンストン、第3位、第4位は知らないが第5位スタンフォード」と口癖のように言っていた。キャンパスの美観にランキングをつけるといった趣味にはついていけないが、米国はこうした統計が好きである。コーネルもプリンストンも全米というより世界屈指の名門大学。美観のほか当然ながら学問的な名声、科学的な出力、国威高揚への貢献度等も勘案されてのことなのだろう。

医学部はＮＹのマンハッタンにあるが、コーネル大学のメイン・キャンパスはニューヨーク州の片田舎イサカ。ここはフィンガー・レイクス地方と呼ばれ、もともと自然が極めて美しい地形的景観を有するエリアである。何処までがキャンパスか判らないほど広大な敷地。ＭＡＰによれば５００万坪以上あるのだろうか。中央付近のビーブ湖（Beebe Lake）。ここから下流側へ向かいトリップハンマー（Triphammer Fall）という名の滝、更に両側絶壁の渓谷を出、幅広となったイサカ滝（Ithaca Fall）。その後全長約４㎞を経てカユーガ湖（Cayuga Lake）に流れ込む。水系と渓谷を抱き込んだ丘陵状のキャンパスは壮観である。そこに突き出る煉瓦造りの時計台（McGraw Tower）、芝生に点在するジョンソン美術館、ホワイトホール、輪郭がフランスのシャンボール城を想わせる建築学館のシブレー・ホール等々。キャンパス東西方向には約１００万坪の、別世界を想わす美しい植林庭園（plantations）があり、入江や小川沿いに各種の樹林や鳥類や小動物が自然に溶け込んで生きていた。

＊

大学の評価尺度は様々ある。個人的には余りに日本的価値基準で好きな材料ではないけれど、大学、大学院の卒業生などを含めたノーベル賞受賞累積者数40名以上。代表作『大地』で米国人女性として初めてノーベル文学賞を受賞したパール・バック。言葉の高い意味で〝天才〟の名を欲しいままにした物理学者リチャード・ファインマン。彼はプリンストンに学び博士号を得、コーネルで学者生活をスタート、CALTEC（カリフォルニア工科大学）で教授になった量子電磁力学者である。「科学者の言うことを全部正しい、なんて思っちゃいけませんよ」、「ノーベル賞なんて迷惑だ！」、「デカルトはなぜ虹の研究をしたと思う？——虹を美しいと思ったからだよ」など名調子とユーモアいっぱいの上、〝図で量子力学を説明する〟など非凡な発想と反骨精神で、賞などより「どう生きたか」を印象づけた。

事業家に目を転ずれば、一例だが世界最大の半導体ファブレス企業クアルコムのアーウィン・ジェイコブス。第2位のブロードコムと合わせると東芝、日立、SONY、パナソニックなど日本を代表する大手電機メーカー合計8社の事業利益を遥かに上回る超優良会社の創始者である。台湾のドン・李登輝元総統もコーネルに留学し農業経済学博士を取得。またインドを牽引する大富豪タタ財閥のラタン・タタ会長もコーネルOBである。2008年彼は母校に50億円の寄附をした。

一方キャンパスで購入したぶ厚い書『著名なコーネリアン100人』。ここにはノーベル賞受賞者の多くは記載されておらず、例えばYMCAの創始者、世界初の摩天楼エンパイヤステートビルの共同設計者、初代スーパーマンを演じた映画俳優といった人物が紹介されており、社会や世界にインパクトを与えたOBへの価値観の尺度の違いを感じたものである。

米国でも一流校は狭き門といわれているが、コーネルやプリンストン、イエールやハーバードなど米国東部の名門アイビーリーグに学部入学するのは極めて難関。米国にも公立高校と私立高校がある。確率的にはPreparatory School、略してプレップ・スクール（Prep School）と呼ばれる名門私立高校から入学する学生が多い。上流階級の子弟に対する教育の場として伝統を持ち、寄宿舎制のキリスト教による規律訓練などを主体とした高等学校で、J・F・ケネディの出たチョート校やグロトン校、セントポール校など十数校が名門プレップ。全寮制で昔は3食ともジャケットとネクタイ着用の正装、指定座席で食事を取っていたようである。多くは猛勉強を重ね、その上キリスト教の訓練など文武両道、高校時代に公共奉仕の経験が求められる。SAT（大学進学能力基礎試験）の得点は高度に設定されており、その前段階のPSAT（Preliminary Scholastic Aptitude Test）の出来も問われる。

＊

コーネル大学のアドミッション（入学試験）の小論文試験の一例を枠内に示した。10年以上前、愚息から見せてもらったものである。米国が生んだ20世紀最高の作家との評判が高いトー

"A stone, a leaf, an unfound door" Look Homeward, Angel, Thomas Wolfe.
Write about three objects that would give the admission selection committee insight into who you are.

米国の作家トーマス・ウルフの著作『天使よ故郷を見よ』の中の「石、落ち葉、理由のない扉」といったように、3つの言葉を使って自分の内面を表現しなさい。

マス・ウルフの著作からの出題であり、外界へ出た青年の多感に揺れ動く心情を描写した作品――。演繹的だが「受験生がどのような人間なのか」を知りたいとする問題といえよう。こうした論文テストで志願者の「質」と「レベル」はある程度把握できる。また論文の論理構成、文章力のレベルは歴然とする。本人のセンス、ウイット、ユーモアなども露呈する。基礎教科のほか受験生の英語力TOEFL600点以上は必要であり、「答えのない問題」だけに回答の幅は広がり、成績優秀の他に全人格的素養が問われる。きっと入学審査官（Admission Officer）も論文の配点評価が楽でないであろう。マークシート方式など受け入れ側が楽をしていて優れた学生は取れない、といわんばかり。

我国では、答えがある問題に対し解答を見出すが、答えのない質問に対しては頭を抱える学生が多い。また受験前の10代で身体障害者施設や介護施設などで奉仕し、会話を通し相手と交わる応分の体験がないと、個々の価値観の多様性を認め合う深い回答は得られない。我国のテストでは「答えのある質問」の下で公平性が重んじられるが、人生とはもともと不公平性に満ち満ちた道ともいえるのである。

管見にすぎぬが、我国の大学入試で、もし上述のような小論文が当たり前の社会になれば、例えば「ノーベル賞受賞」のニュースで鬼の首でも取ったかのような北朝鮮的な騒ぎにならず、フランスの et alors?「エ・アロー（それでェ）?」といったようなレベルの対話が当たり前の国になれるであろう。

No.4

シリコンバレー的野性との対比の中で

『選択』47 2010年12月

2010年夏、米国シリコンバレーで会議終了後、久し振りのゴルフを米国の若い数学者と愉しんだ。シリコンバレーにも以前足繁く通った時期がある。周知の通り、ここは既存企業が手を出せないような、新規性が強くリスクの高いハイテク産業のベンチャーが続々と誕生する世界でも特殊なエキサイティング・エリアである。スタートアップの運営に必要な資金を、銀行からの融資でなくVC（ベンチャーキャピタル）からの投資で調達する。VCは投資後3～5年で5～10倍のリターンを期待するので、経営陣は事業発展の短期的ゴールを店頭市場での株式公開に設定する。ベンチャーは最速の研究開発を進め、起業の成長力をテコにした企業価値の拡大が最優先され、こうしたビジョンを会社全体で共有する手段としてストックオプション制度（未公開の自社株を初期の段階で保有する権利）が生まれた。

スタートアップの創業者や役員は無論のこと、従業員、起業に協力する弁護士、会計士、アドバイザーなども報酬の一部をストックオプションの形で受け取ることでリスクを共有し、事業開花の可能性に賭けるのだ。そしてひとたび株式公開に成功すれば手持ち株は100倍位に変化し多大な価値を産む。この方式は人々のやる気を駆り立て、共通の目標に向かいチームワークを円滑にし、自己実現の最大化を目指す。

シリコンバレーはハイリスク・ハイリターンを目指すベンチャー企業にとって現代の金鉱的存在。セコイア・キャピタルやクライナー・パーキンスといった全米トップのVCが高い目利き力を有し、彼等から投資を受けただけで成功！　といった神話まである。事実この2社だけでアップル、シスコ、アマゾン、グーグル、オラクル等々のベンチャーが世界第一級企業となり国力の源泉にもなっている。米国では真に実力ある者の約半数は大企業や役所でなくベンチャーで社会に挑戦。インド、中国、欧州などからも同様の哲学を持った、野生味溢れた高レベルのハイテク移民が流入し、知性のしのぎを削っている。

＊

「国家としての魅力度」同様、シリコンバレーの主要VCは「日本は既に魅力が無い」とし、インドや中国へ投資して久しい。土地も無く資源も無い日本が生きていくには技術しか他策が無い中で、我国のここ20年前後の低迷は、経済を中心とした問題の多面性が議論されてきた。しかし管見によれば、その遠因には挑戦せず安定を求める日本人の「野性の喪失」が根底にあるのだろう。幕末維新期、日清日露期に比して国民の民度が大幅に低下、国の立ち位置をはじめ政治家や大企業の経営者さえも、多くは殆どの問題を先送りして体面を維持し、後輩や子孫に負債を預けて止む無しとする。又こうした大人達の背中を見、若者は若者で日本という小さな蛸壷から出ず、何もしないまま茹《ゆ》で蛙《がえる》の如くなっても餌が配給されるのを待つ――。個人の価値観といえばそれまでだが、先日は都心のネイルサロンで女性に爪をケアされている10名程の男性をガラス越しに見、言葉を失った。

総体として野性味を失い「米国が作った柵の中で生きる草食動物」のような日本人。また我国で数十年前から定着した日本的エリート像。即ち個人として何を達成したかではなく、どの集団に帰属したかが成功物語となった哀しい現実がシリコンバレーにいると鮮明化する。我国を活性化させるべき有能の士が、例えばキャリア公務員が、若くして〝あがりのポスト〟につき失敗を恐れ、半ば化石化した規則を随所に持ち出し「前例がない」とか「慣例に反する」を繰り返し、汗を流す社会体験のないまま管理側に回るので、いつまでも国家に活力が生起しない。

大企業も同様。新規事業の起業体質は、例えばＩＴやバイオを受容する、個人をベースにした知的創造性や迅速性とは異質の組織オリエンテッドの縦型共同体社会。我国では多くの有能な人材をその中に抱え込んでしまい、大半は自身の中に新しいパラダイムへの転換を抑止する機能を包含して来た。稟議書でハンコを積み上げていく仕組みがスピードにそぐわずブレーキとなっているのだ。他方で経済発展のグローバル化現象とは、世界的に〝確かな情報〟を〝かなりのスピード〟で取得できる現象そのものであり、これは同時に「短い製品寿命」と「現行ヒエラルキー階層構造の崩壊」を暗示している。

＊

西海岸ハーフムーンベイゴルフリンクスコース。海沿いにある半月状の湾の形をしたことでその名がついたハーフムーンベイは、英国セント・アンドリュースのリンクスコースと類似点が多い。一方、雄大な太平洋と米国の広々とした大地などの雰囲気も相俟って、サンセットの美しさは英国のそれをかなり上回る。

父上も著名な数学者だったというインド系青年は、全世界共通実施のＧＲＥ（米国大学院入学検定試験）で８００満点中８００点を取得したという兵《つわもの》。〝代数は僕のメインディッシュ、幾何は僕のデザート〟と宣《のたま》う。コンピュータ・アーキテクチャー領域に於ける世界最高レベルの数学処理専門家のひとりである。インテル、ブロードコム、クアルコムといった超一級ハイテク会社の引く手あまたの求人を断り、納得のいく自己実現に向け、ベンチャーで動物的な挑戦者魂をぶつける30代後半の若者である。

スタートで第1打を打つ。フェアウェーに歩き出すと、ドライバーとゴルフボールとのインパクト瞬間のボールの変形に関する力の相互作用の話。日本がコンセプトの国とすれば、米国はディベート（討論）の国。彼らと話す時、囲碁のように会話の手番が求められる。ボールの弾性変形にボクシング時の顔面フックの過渡応答を重ね合わすユーモアがあった。続いてボールのディンプル有無による空気抵抗の話。一応流体力学を学んだ私は、空気抵抗はボールの形状で決まり、速度の2乗に比例する旨の小講義。こうして会話の手番を握らないと順番が交互にならない。事実ディンプルは空力的な抵抗を小さくし、飛距離を伸ばすためのもの。ディンプルが無いと、流力的にボールの後流が剥がれて剥離が大きくなってしまうのだ。すると次は自分の番とばかり「流れの可視化」シミュレーション上の数学的処理法を聞いてきた。見識も高いので二回り以上の年齢差の私に対し敬意は随所に払われる。しかし前日

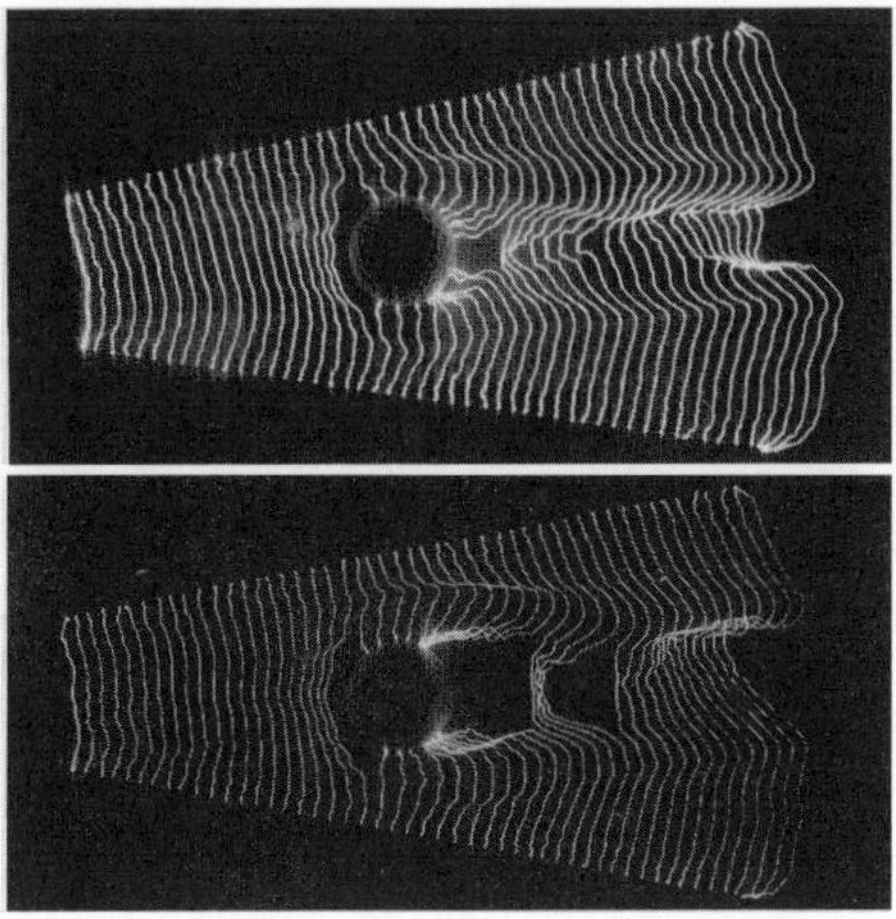

ゴルフボールの可視化写真。上がディンプル有り、下が無し。
『流れのファンタジー』流れの可視化学会＝編より

入国、時差を確認すべく腕時計をみれば「時計の針はなぜ右回りなのでしょうか?」、空がどんよりすれば「雲はなぜ落ちてこないのでしょうか?」といった雲をつかむような話の連続で、会話に少々疲弊した。

米国人との対話ではディベートの力が無いと知性の敗北を認めるようなエートスがある。私のゴルフは「飛ばないドライバーに、よく飛ぶパット」——といった域を出ずシングルに程遠い。しかし野性味を維持するためにも、ディベートには耐え得る知的シングルにはなりたいものである。

No.5

日米に見る健康食品の政策的誘導

『選択』22 2008年11月

かなり以前からだが、アメリカでテレビを見ているとチャンネル数の多さに驚かされる。更に驚くのは「健康番組」といってよいキチンとした専門のチャンネルがあることだ。メイヨークリニック、ハーバード大学、ガン治療で全米No.1といわれるスローン・ケタリング・メディカルセンターの教授も解説に出ることもある。ジャーナリズムの質と共に日米のメディア構成の大きな違いのひとつであり、健康情報が非常に豊かである。

ETTは、ナノテク、エネルギー、環境から健康科学に至るまで、事業機会のある殆どの技術・事業性評価を非営利で実施している。最近はサプリメント類の新製品開発の事前評価依頼もあるが、プレゼン時に我国の法制上の悩み等も克明に披露される。一般に評価には国内一級の知見者・専門家のほか米国ブルッキングス研究所、イスラエル・ワイズマン研究所、ドイツ・マックスプランク研究所出身の委員が加わることもあり、米国の現状を調査に行くこともある。ニューヨーク在の専門性高いETT正会員の知見を得たり、ワシントンDCに赴き、NIH（国立衛生研究所）やFDA（食品医薬品局）の意見を聞くこともあり、啓発される。

秦の始皇帝に仕えた徐福が不老長寿の神薬を求め東方の国に出かけたように、現代でも長寿や難病の特効薬を求め、熱帯の密林から深海の生物まで素材を狩猟。権力者のみならず健康薬類への渇望は人間の歴史と共にある。しかし米国に比し我国行政の政策誘導や玉虫色の法規制内容の曖昧さが、日本産業のエンジンとなるべく「起業」の大きなハードルとなっている。

＊

補完代替医療（ＣＡＭ）がアメリカ医学界で認識されたのは１９９３年、ハーバード大学医学部のアイゼンバーグ（D.Eisenberg）教授がその驚くべき普及を「New England Journal of Medicine」誌に発表し、医学界に大きな衝撃を与えたことに端を発するといわれている。論文によれば１９９０年の1年間で、米国人がカイロプラクティスなど代替医療施設を訪問した回数は、かかりつけ医への訪問回数より多く、また健康食品を含めた代替医療へ支払った金額は、病院入院時の自己負担額にほぼ匹敵。ＣＡＭの驚くべき浸透ぶりが初めて明らかにされた。最近教授グループは中国漢方のみならず日本発の高圧電位治療器等にも研究対象を広げている。またドイツでは自然療法が医学部で必須であり、国家試験まで導入されている。

一方同時期にＮＩＨでもＣＡＭの研究に本腰を入れ始め、健康食品に関し当時の玉石混淆をキチンと評価し精査した。この結果、効能効果を法的に位置付けるためＤＳＨＥＡ、即ちダイエタリ・サプリメント健康教育法（Dietary Supplement Health and Education Act）により内容は無論、「語彙」までも法整備し、国民やメーカーに誤解のないよう施行したのである。健康食品は米国では補完代替医療・統合医療の大きな潮流の中で生まれ育ち、DSHEAにより「効能効果を表示可能な食品」の一区分として明確に位置付けたのだ。これは無論FDAの規制も受け、表示や広告についてはFTC（連邦取引委員会）の規制も受ける。しかしFTCは分かりやすいガイダンスを発表、その構成は論理的で、表現は極めて平明。「イノベーションを育てよう」という根本理念の下、それらの全てがウェブサイト上に公開され、誰もがアクセスできる。また開示されない事柄によって規制を受けることがないのである。最近では漢方薬の素材の特定を含めたサプリメントのGMP（適正製造規範）が施行されたが、民間のパブリックコメントを充分に時間をかけ聞き込み、産業側に血が通った政策的誘導を実施した。朝鮮人参でも、元来の「朝鮮人参」と、カリフォルニアで穫れた人参を香港で加工し、韓国に運び出荷時に「朝鮮人参」としたものでは内容が違うのである。

これに対し日本では「サプリメント」はおろか「健康食品」という規制区分も定義も未だ存在していない。まだまだ〝際物〟という見方さえある。我国にあるのは特定保健用食品および栄養機能食品（これらを併せて保健機能食品）という定義があるが、これは所謂「サプリメント」や「健康食品」の一部しかカバーしてない。我国では包括的に規制する法規はなく、薬事法、食品衛生法、健康増進法、特定商取引法、景品表示法、食品安全基本法などが複雑に絡み合い玉虫色のような内容規制をしているといえよう。

生きていくための基本要素（三大栄養素）である1次機能食品、菓子類など栄養価は期待しないが食べる喜びとなる2次機能食品、ビタミンなど体調調節を取り持つ3次機能食品の中で、この3次機能を強調した商品が主に〝健康食品〟。しかし我国に「健康食品」の法的な定義は無く〝ただの食品〟なので効能効果を表示できない。従って健康食品メーカーは様々な手法で〝暗示〟することになるのだ。このため消費者には真に内容のある医療情報が提供されず、テレビCMや新聞広告や健康雑誌の体験談など、不確かな情報や印象を元に、商品を選択する悪循環が生まれる。

厚生労働省はこうした弊害を改善しようとした形跡はある。しかし例えば「特定保健用食品」の審査基準は米国と異なり「薬品審査」をモデルとしているため試験データは膨大となる。「食薬戦争」の中の利益相反といった構図に官の規制という宝刀が入る。乱暴な言い方が許されるとしたら、これが名刀でないため、我国の健康食品の大半はいまだ相変わらず一般食品。〝健康食品〟として市場に切り込めば、文章構成の論理はたどりにくく、表現も頗る明快さに欠ける規制と対峙することになる。更に法規の施行現場では、担当官が何処にも明示されていない細かい慣例を持ち出し、それに従うよう陰陽に指示する。その上担当官によって指示や判断が違うことも珍しくない。こうした対応に不透明感も錯綜し、個別の担当官の裁量が入り込み、企業にとっては「やってみるまでわからない」というリスクが常に付き纏うのだ。企業は現場の担当官の言葉に一喜一憂し、担当官には一種の権力が生まれ、企業との間に不健康な関係を生む原因にもなっているのだ。

具体例を挙げれば、最近健康増進法が一部改正された。パブリック コメントも受け付けはしたが、米国と異なり、十分な時間を与えず、公示から受付締め切りまで余りに短いため、企業は大変な苦労をしたのである。また2007年4月の厚労省から都道府県への事務連絡「いわゆる健康食品について」。——後に厚労省が「何の強制力も無い」と認めた文書である。しかし好ましくないとする商品名が列記されており、健康食品業界は一種のパニックにもなった。結果としてファンケルや小林製薬など大手も相当数の商品名を変更する羽目になり膨大な損失を被ったのである。我国では行政が企業の立場など全く考えていないことを如実に示している。国際競争力の蘇生を担う行政や政治に「イノベーションを促進し、インダストリーを育てる」姿勢がないとしたら喜劇的悲劇である。

No.6

シンクタンクの質と量と民間力

『選択』50　2011年3月

米国ワシントンDCには上質のシンクタンク（Think Tank）や高等研究機関が多い。数年前、ETT（創業支援推進機構）理事でコロンビア大学政治学博士・政策研究大学院大学の角南篤准教授の要請によりCSIS（戦略国際問題研究所）で開かれたPRANJ（政策海外ネットワーク）で講演したことがある。聴講者はIMF（国際通貨基金）、WB（世界銀行）、日本大使館、日銀、環境省、共同通信、時事通信、ジョージタウン大学ほかCSIS関係者も出席した。CSISは外交政策にインパクトを与えることを使命とし設立された専門型保守系シンクタンク。'64年ジョージタウン大学の付属研究所として設立され、'87年大学から独立した。年度予算約20億円の80％は個人、企業、財団からの寄付金で運営される非営利組織で、所謂NPOである。またポトマック川を挟んだアーリントン側には国家安全保障に関係する軍事戦略研究の拠点・ランド研究所がある。総て数値至上主義の世界観に基づく計数管理下「どのように戦争を展開し、どのように勝利するのか」、軍や米国政府へ助言する非営利組織である。

一方、ワシントン郊外のベセスダにあるNIH（国立衛生研究所）。周知の通り、全世界の医学薬学の研究方向を左右する合衆国最大の医学研究複合体頭脳集団である。3年前NIHでお会いしたフルブライト留学生だった液体クロマトグラフィー専攻の伊東洋一郎先生は78歳。500本以上の論文を書き47の特許を取得したそうで、ロイヤリティだけで数百億円を得、NIHの収益でNo.1。そのエネルギーに敬服していたら神経生理学専攻の田崎一二先生は94歳で年間2本の論文を出している、とのことであった。NIHはカーター大統領時に定年制を廃止したのである。基礎医学から臨床治験、患者適用までのラインの中核を占め、NIHの内部にFDA（食品医薬品局）が入っており、我国の医学・創薬行政とは天地ほど異なる政策的誘導、質の高い研究の深堀、人類への早い適用のためFDAによる迅速な許認可が世界中の敬意を集めている。毎年予算は3兆円。スタッフ1万8000名、6000名以上の科学者がおり、ノーベル賞受賞者が100名を超える。

他方ニューメキシコ州にある要塞のようなロスアラモス国立研究所。ロッキー山脈の南端の台地（Mesa）に位置し、標高2200m。第二次世界大戦中の'43年に設立され、コードネーム「マンハッタン計画」のもと原子爆弾の開発を目的に創設された。ルーズベルト大統領の「ヒトラーより先に原爆を持つこと」を命題に4年間で5万人を投入、20億ドルを使用した。これは現在の貨幣価値にして2兆円であり、当時の我国一般会計の実に約35倍である。広島のウラン原子爆弾、長崎のプルトニウム原子爆弾が開発製造された。広大な敷地は約110平方キロメートル。皇居の約110倍の広さに2000以上の大小の研究棟。多数の重要機密研究所は今でも鉄線で包囲され守秘義務が多く閉口した。米国の大統領は選出後、1カ月以内に先ずここを訪問するといわれる。1万2000名の科学者とスタッフ。年間予算22億ドル。米国が誇る世界最高の研究機関であり「合衆国の至宝」と呼ばれている。人口の約40％が修士以上。ロスアラモスはひとり当たりGDPも異常に高く、総資産1億円以上の居住者の割合が全米一である。

＊

ニュージャージー州にある物理学の知性の理想郷といわれるプリンストン高等研究所やオハイオ州にある独立系のバッテル研究所等も以前訪問したが紙面が足りない。ともかく総体として世界最大の総合型シンクタンクのNPOはワシントンDCのブルッキングス研究所（BI）である。第一次世界大戦中の'16年設立だが、その民間力による調査研究対象は政府プログラムの有効性や財政政策、公共政策、技術調査&評価なども包含している。'27年セントルイスのビジネスマンR・S・ブルッキングスにより創設された。驚くべきはBIの財政である。それは税金ではなく、個人、企業、慈善団体等の寄付によって運営されており、その額はNEDO2

000年度海外レポートによれば、寄付金等合計は年間96・4億ドル（当時1ドル＝125円）＝1兆2000億円。事業収入は285・97億ドル＝3兆5700億円。寄付行為に対する異次元の世界といえるほど充実したNPOが米国社会と巧妙にリンクし国家も国民もその恩恵を享受している。

また資産運用益でNPOを支援する外輪山的機能を果たしているのがロックフェラー財団やフォード財団等の独立系の民間財団。3万7000もある。余談だが'94年300億ドルの世界最大の慈善基金財団となった『ビル&メリンダ・ゲイツ財団』。人懐っこい感じの巨人ビル・ゲイツ氏と2009年東京でお会いし『留魂録』を差し上げた。当財団は周知の通りアフリカ難民のエイズワクチン等に巨額の高等研究開発支援を行っている。膨大なワクチン接種人口対応への敬意を表した後、政策的に彼らの人口爆発防止のための「適正家族計画」教育指導への効果と優先度など話題とし談笑したこともあった。

＊

シンクタンクのやや狭義の定義は「公共政策研究を行い、その提言を行政府や議会に行い、同政策に関し一般市民へ教育や一部執行することを中心活動とする非政府（NGO）かつ非営利（NPO）の民間力組織」とBIの上級研究員等は説明する。この定義によれば、日本の株式会社形式の総研など、委託研究を有料で行うコンサルタント活動等はシンクタンクから除外される。会社組織ではどうしても営利追求となり中立性を欠き、依頼主の意向に沿ったレポート活動に成り易いのだ。

米国では寄付は基本的に免税される。一方日本では課税される。この結果、一例だが2000年統計で米国の個人寄付者の総額が15兆3880億円に対し、日本310億円で約500倍。国の違いや税制の違いを説明する官吏はいるが、民間力を生かした米国の卓越性を認めつつ公共政策には反映されない。又NPOは日米とも莫大な雇用創出にも貢献している。

日本人の優秀さや奉仕精神は世界的に見て有数である。その上国民金融資産は1400兆円。自己資産を公益的に使って欲しいとする日本人は少なくない。無論、政府経由の何に使われるか分からない用途不明の寄付より、自分の資産が自己意思の対象に使われることを望むのは米国だけではない。

米国流定義で我国の数少ないシンクタンクであるETTの10年間の経験では、NPOに関し米国が日本より優れていても恥ではない。去年の日本より今年の日本が優れていないことが恥なのである。米国や中国が全力疾走しているのに、何事につけ我国は主体的に変化できない。合理的思考の訓練不足や既得権益の受益者の多くが変化にブレーキをかける。政治や行政に国民の信頼がないのは不幸な時代だが、カネがないから何もできないという国家は、カネがあっても何もできない国家であろう。巨大個人資産を自分の意思で免税で奉仕市場に還元し、政府を補完、雇用創出する公共政策だけでも我国の大きな復活のトリガーになる。

第6章 ◎ 音楽からのエートス

No.1

アンカレッジ空港の回廊にて

『選択』4　2007年5月

以前日本から欧州へ行くにはアラスカのアンカレッジ空港を経由していた。日本の年間累積渡航者数が10万人レベルの時代からであり、空港の土産物屋も機体の到着のたびに賑う。私は毎回のことであったけれど、機内で飲むアルコールのほてりを冷やすため、直に2階の回廊にあがる。そしてドアを開け外部ベランダへ出、北米最高峰のマッキンリー山をしばし見つめる癖があった。

ここは日本の登山家・植村直己が厳冬期に単独初登頂に成功し、下山時に遭難した山である。昔、山に憧れて新田次郎の著書『孤高の人』を読んだことがある。山男・加藤文太郎の生涯について記述したものだが、内容はよく覚えていない。とにかく国宝的鉄人だったけれど槍ヶ岳単独行で遭難死した。植村直己は確かこの同郷の先輩に憧れて明大山岳部へと走ったはずである。

私事であるが以前その槍ヶ岳に登ったことがある。夕刻やっと頂上付近の山小屋にたどり着いた。明日の登頂にむけ皆が貸し布団や寝袋で雑魚寝を始めたとき、ある若者がラジオをかけていた。すると奥のほうで中年の男が「ラジオを止め、風の音でも聞け！」と低い声で叱責した。山男の気持ちが山小屋全体に充満し、山頂に特有の、風の音だけの形而上的空気が支配的となり、しばし下界を忘れた記憶がある。

植村直己は周囲の反対を押し切り、アルバイト等でためたカネを元手に移民船で米国に渡り、不法就労などで追い掛け回されながらも欧州に辿り着いたそうである。私は1969年の初渡欧以来感じているのだけれど、欧州はイギリスでもフランスでも厳然とした階級制度があっても、千差万別の人々が様々な価値観を認め合って生きている。つまり沢山の「違い」が許容され生活が営まれている。「ふつう」という焦点が無いのだ。日本では人との「違い」は「異なる」ことを意味し、「異なる」ことはしばしば「いけない」という意味を包含する。金太郎飴じゃあるまいし、人と「違う」ということは素晴らしいことと思う私は、時に日本社会が息苦しくなることがあるのだが、植村直己はこの〝人と違う〟ことの上に、〝何が何でもの気持ちの強さ〟が世界の高峰挑戦に命を賭けさせたのかもしれない。

その後「日本のメスナー」といわれた日本史上最強の登山家・山田昇も最後はこのマッキンリーで落命した。当時『山と渓谷』誌だったか何かで、世界最強のクライマーとして著名なイタリアのR・メスナーの自伝を読んだ時のことである。そこには、つま先立ちのまま高度差1

000mを1時間ほどで毎日走る——といった実際の鍛錬法が述べられており、その生きる姿勢、挑戦する姿勢とでもいったものに仰天に近い畏怖の念を抱いたものである。ともかくマッキンリー山が見えるその場所は、欧州への玄関口と、植村直己や山田昇の生き様が伝わってくるトポスであった。

＊

いつぞや例によってしばしマッキンリーから凛気をもらい回廊に戻ろうとしたとき、ドアが開いてひとりの初老の紳士が出てきた。その人は大阪フィルハーモニーの常任指揮者・朝比奈隆氏であった。私はすれ違い様で暖気の満ちた室内2階の回廊に戻った。私の欧州便の離陸には未だ時間があり、もてあまし気味にそこに佇んでいた。すると寒気が過ぎたのかドアが外気の風圧で勢いよく開いて、薄くなった白髪を風に逆立たせながら指揮者氏もすぐに室内に戻ってきた。回廊はふたりだけであった。


「朝比奈さんですか」

「はい……」

「演奏旅行で？」

「はい、ドイツで……」

「朝比奈さんのブルックナーをレコードで愛聴しています」

「それはどうも有り難う」

——初対面のための遠慮もあり、ここで会話が切れた。

程なく係らしい人が呼びに来て、指揮者は回廊を降りていった。

朝比奈隆は音楽家としては「ふつう」でない経歴の持ち主である。彼は京大法学部を卒業後、阪急電鉄に入社。電車の運転手や車掌、阪急百貨店の業務をしばらくやった人で、いわゆる古典音楽界のキャリアエリートではない。その後京大文学部に再び学士入学。弦楽四重奏団などでバイオリンやビオラを弾きながら、ロシア人指揮者メッテルに師事し、指揮者として頭角をあらわした。そして遂には「世界に冠たるブルックナー指揮者」として定評を獲得した方である。私が学生の頃は、まだブルックナーやマーラーのレコードなど僅かであり、ましてや「朝比奈のブルックナー」などというイメージも何も無かった。

更に半年か1年後のこと。ドイツへの出張か何かで、私はまたアンカレッジ空港の2階回廊にいた。マッキンリーをしばし見て室内に入ったところ、白髪の紳士が階段を登り2階回廊を

マッキンリー山

こちらに向けゆっくり歩いてきた。朝比奈さんだった。回廊には前と同じふたりだけ。

一期一会だと思っていた前回の奇遇が、同じ場所で2度もある不可思議さを思念していると、相手もそれを認めた様子で、

「やあ、またお会いしましたネ、お仕事ですか?」

といった気さくな挨拶があった。私は勝手に演奏旅行と決め込み、

「楽団の方はご一緒ではないのですか」

と聞き返す。すると、

「団員はエコノミークラスなので未だ機内です。そのうち出てくるでしょう」と。

そこでやつがれながら恥を忍んで古典音楽に対するディレッタントぶり、指揮者、独奏者、声楽家など含めフルトヴェングラーを除くそれ以降の名だたる演奏家の殆どの演奏を主に海外で聴いてきたことなど手短にお伝えした。そしてこの回廊でふたりだけの時間を利用して、「何時頃からブルックナーを志向していかれたのか」など聞いてみた。

会社務めの体験があるためか、人間の波長があったのか不明なのだが、形而下の生きる姿勢

や振る舞いなどで一般大衆から愛されたこの指揮者は、どこかのオッサンのように気負うこともなく答えた。以前ドイツのどこかのホテルで「死の前年、フルトヴェングラー大先生とロビーで立ち話の折、ブルックナーなら原典版で演奏せよ！――」と示唆されたこと。当時ブルックナーなどまるで人気がなかったこと。フルトヴェングラーは長身で何か神がかった雰囲気があったこと、など懐かしむ様子で話された。そして何と言っても古典音楽はベートーヴェンといいつつ、指揮者としての特徴を出すのは容易でない。それで指揮者としてのいわゆる差別化を〝何が何でも原典版で、の心境〟でブルックナーと対峙する決心をした、といった旨を話された。演奏家にありがちの孤高性、排他性とは無縁の、正直な方であった。大先生との僅かな立ち話が指揮者人生を決めたのである。

植村直己も朝比奈隆も〝人と違うことの価値〟の上に〝何が何でもの強い精神〟、別の言葉でいえば〝止むに止まれぬ大和魂〟の想い入れと、実行力が大きく逞しかったに違いない。朝比奈隆さんなどオンリーワンの指揮者人生を終えても「最後に死ぬという大仕事がまだ残っていますからナ」――といった闊達な言葉が今でも聴こえてきそうな御仁であった。

No.2

パリのカラヤンと或る感動

『選択』20　2008年9月

指揮者ヘルベルト・フォン・カラヤンの演奏を聴いたのは昭和29年、未だ9歳の頃である。このように記すと素封家《そほうか》の子弟が連想されるが逆である。敗戦で、親父はロシアの捕虜となりシベリア送り。満州奉天の家屋敷すべて消失し、山崎豊子著『大地の子』さながらに母子共々引き揚げてきたのである。当時数世帯程が雑居している横浜の粗末な「荘」に住んでいた。牛車が時おり通るのどかさ。道端で「メンコ」が流行りだしたが、それも買ってもらえなかった。遊び仲間の輪に入れない淋しさは一様でなく、あるとき捨てられたままの角が欠落したぼろいメンコを拾った。これ一枚しかなく、ボウフラが棲んでいた道端のどぶ川で、拾ったメンコの底面を水に漬け、重量を増やしメンコをした。こうして素封家の子弟達から新品のメンコを多数巻き上げ、仲間内で英雄となり、それ以来性格も楽天的となった記憶がある。「荘」の中の「我が家」、父の帰国と共に次第に持ち直した様子で、小学3年頃だったか竹針のついたSP用蓄音機が置かれ、ほどなくLP用電蓄に替わったのである。唯一のLPレコード、ドボルザークの『新世界より』の音楽、響きに耳を奪われ、子供ながらに、貧しさに耐えることは易しいけれど、感動に耐えることは難しいことを知った。

まだ車自体が珍しかった時代、「荘」の住人で外車シボレーに乗っていた若い方がいた。何処かの重役の運転手だったようである。蓄音機の音が漏れたのか、その彼に音楽会の券が手に入ったとかで誘われ、母の了解のもとシボレーで行きついた先が、カラヤン初来日時の演奏会。日比谷公会堂にカラヤンが到着し、砂煙が舞い上がる中、車から黒髪で碧眼の顔が出てきた光景を忘れられない。その日ブラームスの交響曲第一番を聴いたのである。未だフルトヴェングラーが生きており、カラヤンがベルリン・フィルハーモニー常任指揮者になる前であった。

＊

学生時代もクラッシックと囲碁と書を嗜好。社会人となり海外に出張で出かけるようになると夜は到着日から演奏会へ。まだ責任も軽く、何をしても疲れず、時差も殆ど身体に応えなかった。ニューヨークに2週間いると7日程カーネギーホールやメトロポリタン歌劇場に出かけたのである。日本のコンサートに比し桁違いの安さであり、7回分の一流演奏会の値段が、東京で聴く中流演奏会1回分よりも安い贅沢があった。

こうした文化はヨーロッパでは一段と顕著であり、カラヤンもしばしば聴いたのである。何しろ音楽の基礎教育を受けたわけではないので、多分に右脳に支配される。しかしカラヤンのいわゆるレガート奏法による重厚な音楽のつくり方、テンポと秩序を維持したまま、何処までも途切れない弓と弦が織り成す演奏には、人を感動させずにはおかない圧倒的な豊穣感があった。その後、映像効果など彼の聴衆の目を極度に意識した演奏に対し距離を置いたこともある。同時にベーム、チェリビダッケ、バーンスタイン、ショルティ、アバードといった指揮者の演奏も、時間の都合がつけば手当たり次第に聴いてきた。それぞれに持ち味豊かであり、カラヤンを上回る感動も沢山頂戴したのである。2008年はカラヤン生誕100年。そのカラヤンをパリで聴いたことがある。

＊

どの国にもある筈の熾烈な国家戦略を是認した上での話だが、数学、エルメス、絵画、TGV、コンコルド……など科学でも芸術でも、都市計画でも原子力行政でも、フランスに来るたびに第一等の国という認識をあらたにする。音楽でも同様。特にパリは、モーツァルトといえどもそれほど敬意が払われなかったし、リストはこの街で認められることが世界に通じると考えていた、との告白がある。無名のワグナーもここで貧乏生活を送りオペラ『リエンツィ』を作曲、ストラビンスキーの『春の祭典』もこの街から巣立って管弦楽曲の歴史を塗り替えてきたわけである。

パリはコンサートホールが少なく、ロンドンやニューヨーク、東京のようにはこの方面の愉しみは少ない。オペラ座（ガルニエ）もバレエばかりでオペラをやることは殆どない。しかし凱旋門から徒歩で行けるサル・プレイエル（Salle Pleyel）はパリ管弦楽団の本拠地。夜予定が無い場合しばしば出かけたものである。

その日のカラヤンは得意なドイツ・オーストリーものでなく、メインプログラムはベルリオーズの『幻想交響曲』。ブラームスが未だ存在してなかった時代の曲である。フランスの古典音楽はドビュッシーの『ラ・メール』（海）に代表されるように、印象的だが風のように抽象的な音楽が多い。独墺《どくおう》系の音楽に対し思索的インパクトを与えるものの、圧倒的な量感やパッションが希薄である。即ち著しくレトリック（rhetoric）に欠けるというか「極点」に盛り上げていく表現法が具備されていない秀曲が多い。しかしベルリオーズのこの曲は、音楽に標題性を持たせワグナーの楽劇のライトモチーフに影響を与えた傑作である。演奏はパリ管だったか、今ではハッキリしていない。名声が極点にあったカラヤンのためホールは満席であった。

しかしながら演奏開始後、第3楽章になると退席が少しあり、第4楽章では演奏中に指揮するカラヤンの真下を腰をかがめることもなく横切り退場する観客が目立った。そして第5楽章終演時は空席も多く、拍手もまばら。ブーイングさえあったのである。パリ管団員の手ごわい個性のためか、フランス音楽の理解不足への聴衆の揶揄《やゆ》なのか、それは不明である。けれどもこの終わり方に私は新鮮な感動を味わった。世界の名声がどうであろうが、自分達の価値基準、文化の評価軸、いうなればフランス流のベンチマークを尺度として、賞賛に値しないものにNon！と表明した態度についてである。何故なら我国でカラヤンが演奏した場合、名声が全体を席巻し、演奏の低不調に無関係に拍手喝采となるだろう。パリで昔「モーツァルトでさえ敬意が払われなかった」雰囲気が伝わるようであった。

最近の一例だが、フランスは大義名分たる大量破壊兵器が見つからないイラク戦争に遂に参戦しなかった。米国ブッシュによるフランスのエビアン（水）等への露骨な不買策にも耐えた。基軸がぶれないのである。日本と同じ敗戦国ドイツも超大国に追従しなかった。第一等の国とは国土の広さや人口の多寡でない、自分達の価値観を明示し、それで自立し、その内容に世界が敬意を払う国のことである。

No.3

フィンランドと或る音楽的邂逅

『選択』37 2010年2月

フィンランドは「ダボス会議」として知られる世界経済フォーラム（WEF）が毎年発表している国際競争力世界1位の常連の国。また子供の学習到達度指標で知られる国際学力調査（PISA）で世界1位の国でもある。何度か訪問した。特に初回ヘルシンキ空港に降り立った時は真冬であり、冷気が顔に突き刺さり、タクシーに乗った後でも体温が奪われる感じが癒えないままホテルへ。そして内部のサウナへ直行した。

人間の体温（環境に左右されない核心部体温）は概ね36・5℃。手足の先は環境に左右されて30℃程度。『人間の許容限界事典』によれば、核心部の低温方向は30℃以下で意識消失し、20℃前後で心臓からの血液駆出が不能となり死に至る。因みに高温方向は42℃以上で十数時間経つと死に至る危険性が高くなり、44℃を超えると短時間でも酸素系に不可逆変化が生じ回復不能となる。それなのにサウナの温度は概ね90〜100℃であり入れば即死に近い筈。しかしむしろ快適である。湿度が10％前後と極めて低い上、毎分20〜40ccに及ぶ大量の汗が、半導体ではないけれど皮膚表面に薄膜を作り、その保護フィルムが皮膚を乾燥から守る。汗が乾燥空気中に蒸発するとき気化熱を奪い、エネルギーを消費し皮膚が冷却され安全なのである。また2000年の文化と歴史のあるサウナはフィンランドでは色々な意味で重要なトポス。家庭での接客や、時には企業の決断や人事が決定される場となることもある。

或る時サウナにひとり入っていたらフィンランド北の町バーサ（Vaasa）から来たという人物が入ってきた。失礼ながら白熊のような巨人であった。彼は目で同意を求め、熱く焼けた花崗岩に水をかけ蒸気を発生させた。そして白樺の枝葉で4段腹の身体を叩きながら「フィンランディア・ホールでシベリウスの音楽を聴いてきた処だ」と話しかけてきた。フィンランドの混合林は深閑としており、シベリウスの音楽は、森の神秘性、可視化不能の神話的創出力とでもいうべき魅力がある。適当に相槌を打っていたら白熊氏の話はなかなか止まない。そこで「モーツァルトやリスト同様、シベリウスもフリーメイソンだったそうですネ」――と言った途端、4段腹をよじって近寄り、私を凝視。1段目と2段目の肉塊のくびれ部分からカスケード状に大量の汗をしたたり落としながら更に饒舌になった。ヘルシンキ・フィルハーモニー首席指揮者レイフ・セーゲルスタム（Leif Segerstam）という大物指揮者を熱っぽく語りだしたのである。そのセーゲルスタム、元大関・小錦のような巨漢体躯に、首から上は写真で見る晩年のブラームスの顔を載せたような風貌なのだそうである。

＊

高校時代だったか。日本にテレビが普及し始めた頃、クラシック番組に回すと、日本人離れしたマスクの指揮者・渡邉暁雄氏の目鼻立ちが画面いっぱいに映されていた。あれから約35年の1989年、南青山にあった或る音楽サロンでお会いしたことがある。奥様の信子夫人もご一緒でしばしワインを傾けながら3人でかなりの時間、歓談した。

渡邉暁雄氏は東京音楽学校に学び、東フィルの初代指揮者となり、在任中に米国ジュリアード音楽院に留学。日フィルの創設初代音楽監督となった。小澤征爾氏よりずっと前、日本の先駆けとして多くの古典音楽を我国に紹介した方である。信子夫人は鳩山一郎元首相の五女。従って鳩山由紀夫現首相は甥にあたる。その鳩山氏にも薫風会などで以前何度かお会いし面識がある。氏はともかく信子夫人は品位高く清楚な感じであり、記憶が正しければ、確か同じ東京芸大の油絵科でルノワールの高弟としても有名な梅原龍三郎の門下生であった方。サロンではおふたりのジュリアード時代、音楽院の建物のコーナー等で肩を寄せ合いながらサンドイッチを頬張ってのつつましい生活の話題もあった。氏はまた壮年期を過ぎた頃、心臓の一時停止で電気的ショック療法、大腸ガンの発見手術など3度他界の憂き目に遭遇したが、その都度夫人の気転と深い愛情で回生したと、夫人の方へ優しい眼差しを送っていたものである。

フィンランド人の母の国へは、殊の外、想い入れがある様子だった。本場のサウナの日常性、国賓として来日したコイビスト大統領に、日本人として唯一人側辺に侍ることを許可された際のエピソード、また作曲家コッコネンとも親しい友人関係で、「芸術」に対する両国間の認識の差にも話が及んだものである。「コッコネンも芸術院会員であるが、フィンランドでは全分野を数えても僅かに10名、その中に音楽家が複数いる」「一方日本には芸術院会員は3部門で120名。しかし音楽部門は洋楽と邦楽に分かれ、後者が圧倒的に多く、洋楽では御本人を入れて5名、全体の4％しか占めていない……」といったエートスについて、淡々と述べられた。また母親からシベリウスの音楽をよく聴かされて育ち、彼の音楽の清澄で抽象度の高い内容に解説もあった。特に母親からの「静寂さに耳を澄ますものだけに感じ取ることが出来る沈黙」について省察的な口調で話されたのが印象的であった。

指揮者氏は「工学や力学などよく分かりませんが、本職を持ち、趣味で音楽をやっている方が羨ましい。それが文化人の証ですし、又そちらの方が純粋になれる……」と高踏的で思弁性強い体験を語られた。また私のマーラー演奏の初体験が氏であった旨も述べた。すると2周り以上も年長の氏は、「マーラーは人物が複雑で、演奏時間が長いことが指揮者にとって難しい。最近ではブラームスが以前にも増して身近になっていて、この格調の高さを改めて発見しています。こうした発見が指揮者の愉しみかもしれません」。――一期一会、その後1年程して渡邉暁雄氏は他界した。

＊

フィンランドの指揮者セーゲルスタムはシベリウスの演奏を得意としているが、自らも交響曲を200曲以上作曲している作曲家でもある。噂によれば、その体形からか、極度の飛行機嫌いの模様で独墺圏など大陸内での演奏は少ない。他方でカラヤン以上の音楽創りとの評判高く、独墺音楽を彼に席捲されるのを一部の人々が恐れているフシがあるとの風評も聞く。いつぞやシベリウスに関する渡邉暁雄氏との対話を、友人である武士道研究の日本の第一人者のひとりで、国際日本文化研究センター（日文研）の笠谷和比古教授に話した。氏は、セーゲルスタムを〝セーゲル〟と呼び捨てにするほど熱狂的信奉者。〝セーゲル〟がシベリウスやマーラーを演奏する情報が入ると、1泊3日・聴く目的だけで飛行機でヘルシンキに駆けつけ、陶酔し、思考し、サウナにも入らずピンポン帰りをするディレッタント振りなのである。

旧聞に属するが、優秀な学者だから文化人なのではない。希な芸術家だから文化人なのでもない。それらは本職で業績をあげた専門家であり、その中には非文化人もいる。真の文化人とは本職以外で一流の技芸、見識を身に付けた人をいうのだ、と愚考している。

No.4

北京のコンサート・マナー

『選択』30　2009年7月

2008年暮、北京の国家大劇場へ行った。「老明友」の清華大教授がチケットを用意してくれ、ご家族と共にピアノ・ソロコンサートを愉しませて戴いたのである。北京の「車」事情はオリンピックで改善されたとはいえ、ラッシュ時には東京と同じ渋滞がある。北京市中心まで30分程、遅れないよう地下鉄を3回乗り継ぐ。白髪がかなり交じったせいか、車内で若い女性に2回も座席を譲られた。北京の日常風景である。席を「譲る」行為と、周辺に配慮し「控える」行為は我国では同類の当たり前のマナー。しかし中国では独立懸架のようでインバランスなのだ。20世紀型道徳観に固執するやつがれなどは、バスの中の喧騒、狭いエレベータ内で周囲に気遣うことなく若者達が各々大声を張りあげ携帯電話で話すマナーの悪さには閉口する。周囲に対し「控える」姿勢が無いかの如くである。

国家大劇場は天安門広場にある人民大会堂の裏手にある。北京オリンピックに併せ2008年完成した。このエリアは1959年、当時の周恩来が「将来国民が西洋音楽の教養を身につけるように」と用意した場所である。英語呼称はNational Center for the Performing Arts。外観は「プトレマイオスの地球儀」のような半ドーム形状。設計は事前に世界の著名な建築家のコンペが行われ、日本からは中国でも極めて評価が高い建築界の知性派の巨匠・磯崎新《いそざきあらた》が参画した。どの思想にも左右されず、個々の国々の政治・社会・文化に深く抵触する氏の建築芸術に、審査中の中国専門家達の多くが氏の設計を熱望した。しかし最後は政治判断とやらで、抗日色の強い江沢民が欧州の建築家を指名したのである。完成後の今日でも周辺の景観にそぐわないとして定常的批判がある。

内部にチタンを多用した三日月状半球体構造は建築費総額50億元（当時約750億円）。オリンピック・メインスタジアム「鳥の巣」が35億元（当時約525億円）であり、中国の資本で中国の大地に建設した現時点で最もカネをかけた建造物とのことである。内部はオペラ、管弦楽、京劇など6つほどの多目的ホールに仕切られており、そのひとつに入場した。威圧的な3段構成の巨大パイプオルガンが客席を睥睨していた。

＊

ピアニストは中国の杜泰航《とうたいはん》。中文印刷物によれば6歳でピアノを始め、11歳で北京中央音楽院に入り、1992年渡欧。ロシアのアナトール・ウゴルスキー等に師事して1994年ハーグ国際ピアノコンクールで第2位に入賞しデビュー、ソロコンサートを続けるかたわら、アムステルダム・コンセルトゲボウ、チューリッヒ・トーンハレ管弦楽団などと協奏曲を共演しているとの記述があった。中国のピアニストといえば第14回ショパンコンクールで中国人として初優勝した重慶生まれ李雲迪《リユンディ》、国民的に更に人気のある瀋陽生まれの郎朗《ランラン》がいる。共に27歳。ランランは17歳でラビィニア音楽祭のガラコンサートに於いて、アンドレ・ワッツ急病の代役としてチャイコフスキーのピアノ協奏曲をシカゴ交響楽団と共演し「類希なる逸材」と絶賛された。筆者は先月もNYカーネギーホールで彼の実演を聴いたのだが、格別なコンクール入賞実績がある訳でもないのに、既に名人域に達している観のある強運なピアニストである。

さてトゥタイハンの演奏曲目は先ずガルッピ（加魯皮）のピアノソナタ・ハ長調。バロック期のポリフォニーが色濃く残る軽快な旋律で開始された。しかし演奏が始まるとすぐ、周囲に何ら遠慮する様子もなく遅れてやってきた相当な人達が各々の席へ。ガルッピの音楽と、音響を意識して設計された筈の、木製フロアを叩くハイヒールとの喧騒音が続く。次にアルベニス（阿爾貝尼斯）の「スペイン組曲」からグラナダなど数曲。ここでも途中入場者があり、その都度聴衆の集中力が途切れる。音楽自体はスペイン地方の舞踏曲集でギター風の美しい音色だが、技巧が勝っていた。間断が15分ほど。ピアニストは控室へ引き返す。しかし建築芸術が過ぎたのか、トゥタイハンはノブ無しで無数の短冊状壁面ホール設計のためドア位置の見分けがつかない。この為、舞台フロアという空間の檻に主役が閉じ込められ、出口を探すかのような一幕と爆笑があった。

*

休憩後はドビュッシー（徳彪西）。驚いたことに第2部開始直前、コンサートホール背面に縦8m×横10mほどの巨大な白布が垂れ下がり、なにやら動画が映し出された。と同時にトゥタイハンはその画像を見ながら「映像第一集」／「水に映る影」のアルペッジオを幻想的な面持ちで弾き始めたのである。それがピアニストの要望なのか？——は分からない。自己芸術を「聴いて戴く」というよりむしろ「聴衆を啓蒙する」といった姿勢で、揺れ動く詩的な情緒を映像と同調させて弾く。画面は揺蕩《たゆた》う水の如く、次から次へとまどろみの世界へ誘う。しかしコンサートのような即興的印象というクライテリアで比較すれば、人間の五感の中で聴覚は視覚に勝てないであろう。演奏するピアニストの存在は会場の中で相対的に小さくなる。

いつしか聴衆は携帯電話用カメラを取り出し、その巨大画面を写し始めた。その後、視界に入ったこの十数名のマナーに対し流石に不快に感じたのか？——暫らくすると背後の聴衆からそれを阻止する明確な意志をこめて、赤色レーザーポインター（！）を使い携帯用ディスプレイ目がけて様々な角度から発射された。無論小さすぎて当たらない。この間もピアノ演奏が続けられている。外れたレーザー赤色光は水淡色の巨大画面やピアニストの胴体や顔に当たった。次の「前奏曲第1集」の「沈める寺」。その振る舞いは一段と激しさが増した。ホール中央部に座ったため後部座席は不明である。また〝通信状態〟、即ち誰が発信源で誰が受信者なのか、視認性のある光なので罪も軽微なのかもしれない。しかし携帯ディスプレイ、白布画像面、ソリストとの間をランダムなレーザー光が瞬間移動する軌跡が各所で舞った。この時点ではレーザー発射人がソロコンサートの最大の加害者と化しており、一種異様な演奏会となったのである。最後はその映像がパソコンから取り込まれた出力投影とわかるクリック指示枠まで映ったおまけがついた。

我国演奏会の聴衆マナーが世界一であることは、リップトーク抜きで欧米の一流演奏家の多くが口をそろえて認めている。中国社会科学院は2007年、経済的に全体で「中国人が日本人に追いつくには50年かかる」という報告書を公表した。しかし「中国人が日本人にマナーで追いつくにはそれ以上の年数がかかる」と思わせる、複雑骨折したような中国聴衆の各種のマナーは脳裏に残った。人口13億人、中国の国家GDPは確かに世界第3位にまでなったけれど、胡錦濤国家主席の提唱している「八栄八恥」の道徳観はまだまだ奏功していない。マネーはともかく、マナーの移植には時間がかかるのである。

No.5

ワーグナーの楽劇とひとつの現代

『選択』40 2010年5月

ドイツ・フランクフルトの中心市街地ハウプトバッハ近くにあるオペラ座。ここはワーグナーの音楽の洗礼を最初に受けた所でもある。日本初の人工衛星が成功した頃。当時の運輸省日本人海外旅行白書によれば、海外に出た人は年間延べ約20万人。やや乱暴な計算をすれば、人口約1億人で外交官や商社マン等の年間出張回数を2回と仮定すると、日本人1000人にひとり。4回と仮定すれば2000人にひとりがやっと海外に行けた時代。1ドル＝360円の固定相場であり、欧米等の出張には羽田の国際線にのぼりが立っていた。

銀座4丁目のような繁華街ハウプトバッハでも、日本人を見かけなかったものである。その日は稀代のワーグナー歌手・ソプラノのビルギット・ニルソンが、オペラではなく、オーケストラをバックにワーグナーを謳うガラコンサートのようであった。ワーグナーといえば、今でこそ〝楽劇王〟との冠《かんむり》の下、本拠地バイロイトへの観劇ツアーの盛況などが喧伝されている。しかし当時の日本、バッハやベートーヴェンはともかく、多くはワーグナーの名前さえ知らなかったのを思い出す。オペラという音楽芸術への馴染みがなかった時代であり、我国に〝オペラ座〟と呼べる代物も存在さえしなかった。

ニルソンは戦前のキルステン・フラグスタートと双璧といわれる、戦後の代表的ワーグナー歌手。『トリスタンとイゾルデ』のイゾルデ、『ローエングリン』のエルザ、超大作『ニーベルングの指環』におけるブリュンヒルデを、重量感たっぷりに官能的に歌いあげ、交響曲演奏とは異次元の、人間の声の素晴らしさを最初に認識したコンサートとなった。現代で一般にワーグナー楽劇のソプラノといえば、高い声で歌うメゾ・ソプラノといったイメージの上、多少ねっとりとした重く暗い声帯の歌手が多い。しかしながらニルソンの声は、例えば『トリスタンとイゾルデ』第2幕の半音階的性格の歌などでも、非粘性で透き通り、宿命の愛を浮き彫りにし、無限の官能が溢れんばかり。楽器が入っているかのような大きな胸、肉感的な容姿。言葉が充分わかったわけではないのだけれど、管弦楽が織り成す大音響にも負けない、突き抜けるような圧倒的な声量にしばし唖然としたのを記憶している。

その後ウイーンの国立歌劇場、ロンドンのコベントガーデン、ニューヨークのメトロポリタンなどでワーグナー楽劇を何度も体験した。楽劇は、演出者の全体技量も注目の的である。いつぞやは『ラインの黄金』でアルベリヒに追いかけられる、一糸まとわぬ裸の3人の乙女が舞台に出てきた刺激的演出もあった。

ワーグナーのような19世紀の中でも最も複雑で大きな人物について、何か本当のことをしたためようとしたら沢山の準備のほか絶対的紙面量が必要である。ここではその中の〝多面的個性〟、美学、哲学、政治、仏教に至る中の芸術の一部に触れたい。

＊

イタリアオペラと異なり内容も複雑多層構造。ゲルマン神話、ギリシャ神話などに素材を求めた、昼と夜、光と闇の中の弁証的世界なのである。特に「愛は哀」の思想の下、男と女のエロスを通しての文化人類学的な「救済」の主題が総合芸術の中核に横たわっているといえよう。周知の通り、大作〝リング〟でもこうした神話の素材の上に、ワーグナー独自の自己世界、それは天上、地上、地下と3層で構成され、人物は巨人、神族、人間族、小人族の4群が示導動機を伴って複雑に結びつき、これらの立体的な3層と4群が絡まる球体宇宙のようにオペラが作りあげられている。

その結びつきは姦通者にして近親相姦といった非社会的構造を示す点で極めて原初的であり、他方で権力が自然を汚し、権力追求のため感情を犠牲にし、富のために愛を断念する。このある種の破産物語の歴史過程は、西洋的騎士道と掟を大きく裏切る要素があり、ヨーロッパ文化の底流をなすキリスト教とは殆ど無縁な思考のように見える。そして『神々のたそがれ』では神々の統治後に純粋な愛が現れる世界を予言する。〝リング〟を持って火に飛び込み、死をもって破壊から創造へ転換する垂直的構造、そこへ「死の国」からの人間の救済の可能性を提起し、絶望の淵から解放され終わる。救済は、詩人ボードレールも言っているように「人間の罪がいたるところにあるように、贖罪も又いたるところにあり、神話もいたるところにある」のであろう。

無限旋律を含んだこの複雑で豊穣な精神に根ざす音楽は、タブーを視座し、多くの人々に人間の感情の源泉を加振させ、単に「楽劇」という芸術体験の枠を超えて、全身的、全体的な感動を与える。この「ふるえ」は一度感じると、オペラウイルスに感染したように「しびれ」、麻薬のような毒を帯び人間の前に立ちはだかる。そしてぐいぐいと地獄の底まで引きずりこむような耽溺美を誘い「人間の肉と魂」の2元的葛藤への思考を強要させる強烈な趣がある。

＊

東京赤坂のドイツ文化会館内に日本ワーグナー協会がある。過去にワーグナーの孫でバイロイト芸術監督ウオルフガング・ワーグナーの講演等もあった。1992年2月のこと。この例会に作家の辻邦生氏の講演があり、その後四半時ほど氏と立ち話をしたことがある。当日のテーマは「トーマス・マンを通して見たワーグナー」。記憶に間違いがなければの話だが、辻氏は

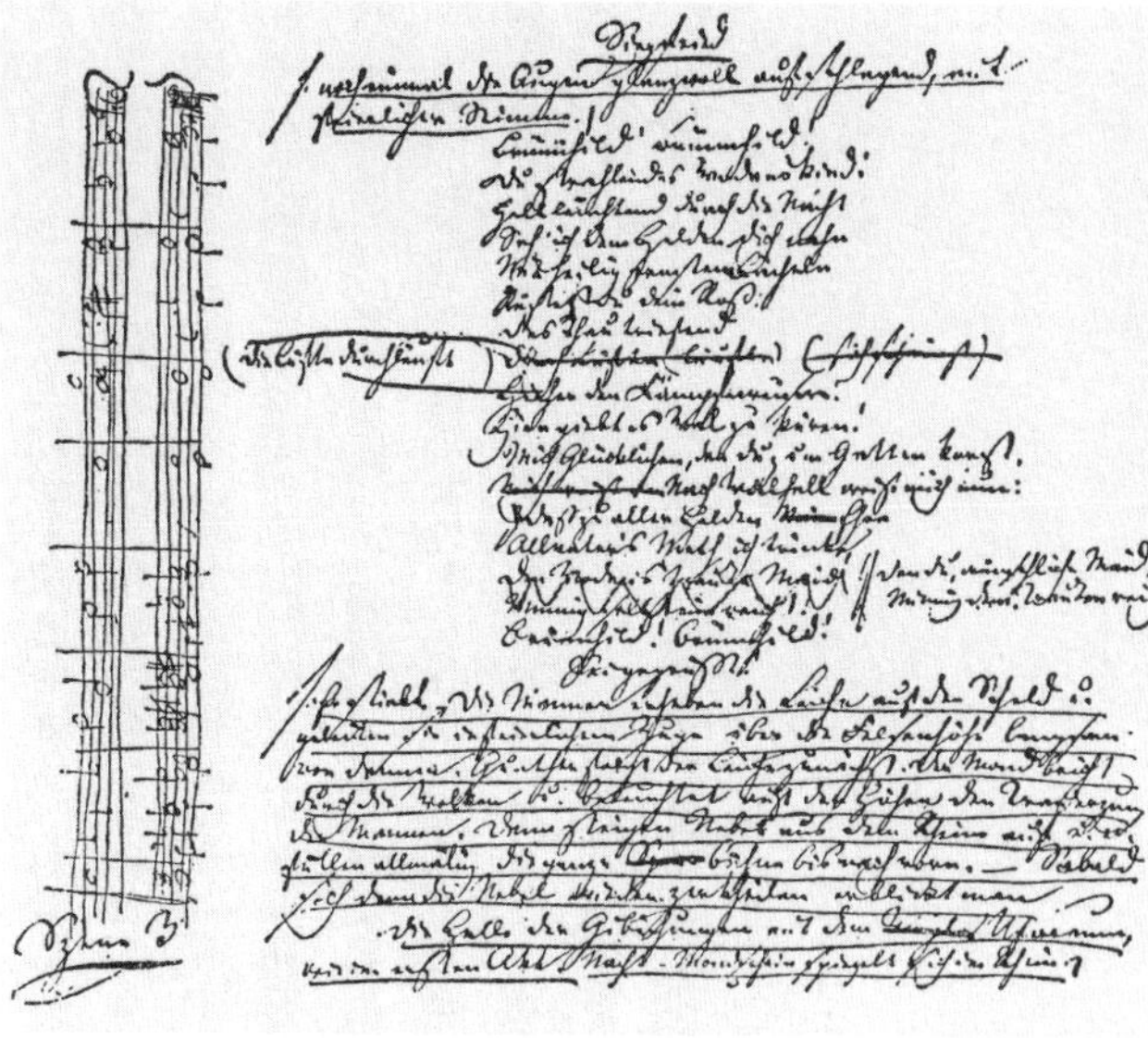

「ジークフリートの死」のワーグナー直筆スケッチ。『ヴァーグナー』エレーヌ・パドモア著より

壇上に出てくるなり、たしか〝トーマス・マンの息子ゴーロ・マンの講演に通訳として立った三島由紀夫は、最初赤ワインを飲んで解説したので、自分もそうしたいのだが、今日は水しか置いてない！〞――といったユーモラスな挨拶で始まって、そして終わった。立ち話時、そこには当時チューリッヒ・トーンハレ管弦楽団首席指揮者の若杉弘氏もおられた。「ワーグナーは苦悩に満ちた偉大な精神像として、19世紀の最も完全な表現だった」と言ったマンと、ワーグナー楽劇の毒性を帯びた音楽との係わり合いについて聞いてみた。これに対し、氏は〝問題が大きすぎて、自分には荷が重過ぎ、今は耐

え切れない〟——といった言葉でかわし応えた。理系の人間からはとても聞けないセリフである。また氏によれば、マンは心底ワーグナーの〝リング〟に於ける「ジークフリートの死」を書きたかったらしい。ゲルマン民族の中の〝死＝Tod〟は、ドイツの審美思想まで遡り「死を生産的なものと考える世界観」。また「光の思想では到達できなかった夜の思想の重み」があるとの述懐があった。

人間、悩む力を持たないと自分が見えてこない。自分が見えなければ世界も見えないことになるのだろう。多くの人々で溢れるバイロイト詣や、国内海外を問わずワーグナー楽劇の切符が手に入らない光景を見ていると、形而下の俗界において、自己の内なる「救済」を希求している現代人の、ひとつの原点回帰が底流にあるのかもしれない。

第7章 ◎ ニッポンの長短を海外から診る

No.1

北海油田で聴いた「大地の歌」

『選択』2　2007年3月

北海油田のプラットフォーム／BPp.l.c.

20年程前の話であるが、英国の北海油田へ行ったことがある。スコットランド第3の都市アバディーンにあるBP（英国石油）所有Dyce空港の一角が油田への玄関口。あたりはマイナス20℃か30℃だったか。舞い降りてはまた舞い上がる粉雪の乱舞があった。無論一般人が立ち入ることはできない。そこは昔の共産圏のモスクワやプラハといった都市に入国する時のように、冗長で厳格なチェックがあった。

ゲートをくぐると大きなテレビ画面のある10m角ほどの部屋に導かれ、椅子に座ると程なくケタタマしい音響が充満した。「Caution」という赤い題字で始まるビデオが放映されたのである。それはこれから行く北海油田への飛行の注意、厳しい気象海象環境、万一ヘリコプターに事故が起きた場合の海面での行動指針、プラットホーム上における諸注意に関するガイドなのである。さらに過去の死亡事故統計と生々しい事故現場の実写フィルムが眼に飛び込んできた。どうやらここで事故死しても一般には報道されない模様なのだ。そういえば日本でもしばしば起きているといわれる超高層ビル建設中の作業員の転落死事故にしても、新聞沙汰にならない。仄聞によれば、受注時諸費用に折り込み済み、との話もある。「ひとりの人間の事故死」という同じ客観的事実に対し、報道の基準は一体どうなっているのか——など漠然と懐疑しつつ、30分ほどのむせるようなビデオは不安を惹起させた。

身体を硬直させるようなビデオが終わると更衣室へ。最終的には顔だけしか外へ露出しないヘリ用搭乗ユニホームに着替えさせられ、国防色のタンデム（2軸）ローター式大型ヘリコプターへ乗り込む。機体は軍用のイメージであった。座席など幾つかの窓際に申し訳程度についている。機体中央部には先程のビデオを連想させる薄汚れた担架もあり、機内の空気を一層寒々なものとしていた。搭乗者は全部で10人前後。旅なれたつもりであったが、日本人は私だけであり流石に心細さも極まった感じであった。

＊

機体は離陸するとすぐに北北東に進路をとり海面上となった。防寒用着膨れとプロペラ騒音の中、誰も背を丸め一言も話さない。すると視界が急に悪くなり重装備の機体がグラっと大きく揺らぐと同時に、窓は一変してミルク色。何も見えなくなってしまった。何故雪がこんなにミルク色に見えるのか？――考えていると再び大きく揺れて海氷の浮く海面上へ出た。よく見ると晴天下の所々に大きな雲の軍団があり、その真下に灰色のカーテンを落としたような降雪地帯がアチコチにある。ヘリはそこを除けることなく真っ直ぐに飛行していく。つまりヘリが降雪ゾーンに入るたびに機体が大きく振動し、桃源郷のような白濁色の世界を何度もくぐるといったように北極方向に進んで行ったのである。

2時間ほどだったか。見ると大海の所々にフレアスタックから油田の火を噴いたオフショア・プラットホームが点々と見えてきた。人類はエネルギーを求めて最近では北極油田にまで手を伸ばし物色しているけれども、ここ北海油田にはフォーティーズ（20億バレル）、ニニアン（12億バレル）、ブレント（22億バレル）などの巨大油田がある。その基地のひとつをめがけプラットホーム角の最上階にある円形ヘリポートに舞い降りた。体形に合わないユニホームで硬い身体のまま機外へ出ようとした瞬間、ヘリコプターによる強風と外気との強烈な温度差によるメガネの曇りも手伝い、不覚にもマット上へ転倒してしまった。あと数mで流氷の浮く海面へ――

という所で。

こうなると所用とはいえ、いい加減嫌気がさしていたものや硬直した不安も吹っ切れて、度胸が定かになったのは自分でも不思議である。再度プラットホーム用ユニホームに着替える更衣室へ入った。そこはこのヘリコプターで帰る人たちの集団と入れ乱れ、英国人のほか、トルコやギリシャといったバルカン諸国の人々など。

オフショア技術の粋を結集した海洋石油生産基地であるプラットホームは、モジュールと呼ばれる構造物を何層にも積み重ねてできている。海底固定式で限界水深300m、波高20mまで耐えられるらしい。リーダーの英国人に作業員などが加わり、横殴りの雪降る現場で回転機械を取り囲み、白い息を吐きながら数時間の議論。私の機械の医者としての仕事はほどなく終えた。このオフショアで最も印象を受けたのは、モジュールのあらゆる機械群と居住空間との対比である。部屋という部屋が、天井が低く窓が全く無い。機械群を外へ、居住空間を内部とし熱効率でも高めているのであろうか。窓が無いと、窓があり閉まっているのと違い閉塞感を増大させる。その上、壁という壁には大写しにした女性の刺激的なプリント写真が所かまわず貼られているので、こんな所で回転機械の話をしても頭がなかなか回転しないのである。

＊

遅い昼食を取り休憩室に案内された。そこにはマーラーの交響曲「大地の歌」が流れていた。英国人のマーラー好きは有名である。「こんな所で生活していてどうですか？」とオックスフォード出身の所長に私はとってつけたような質問をした。「こうしたオフショアでは物事を深く思考できる。余剰の情報が入らない環境には価値さえある……」。大自然の中の機械文明に身を置く者への問いかけとはいえ予想に反し重たい返事。メディア洪水に浮遊させられる現代の情報の密度と質に対する彼の深い懐疑があった。「ひとつの事象で無数にある客観的事実に対する報道の主観の問題」を知悉したこの英国人は更に加え「真実1割、事実2割、あとは……」で言葉を切った。「真実」の前に（事実の奥にある）、「事実」の前に（一事件で山とある客観性の中で報道に堪える）といった形容詞をつけると判かり易いだろう。「あとは」は人を籠絡し、愚弄する情報に対する嫌悪のようなものが伝播した。20年後の今日ではイラクの例に見るまでもなく、罪も無い個人も多数巻き込まれ死んでいく戦争にメディアさえも参戦し、国家がそれを操作する時代となったのである。

理屈や道理に合わない報道の奇妙な行状でも、テレビなどで繰り返し見せつけられると、次第にそれがあたかも賢明な方策のように見えてくる。許せないと思うことでも、それが日常化すると「それも止む無し」との錯覚に陥る。マスメディアは、あたかも誰もが了解するべき、疑義を差し挟めない真実を報道しているかのように尊大である、と感ずることが多い。

真実は、理性と感性の真摯な語り合いの中で、かろうじて見えてくるものであろう。しかしメディアの世界では、そんな自問自答など「無用の長物」と切り捨てられる。その上、大衆迎合のために、針小棒大に報道する虚構や、資金源であるスポンサーへの配慮を求められる訳であろうから、真実は無論、事実すら捻じ曲げることになってしまうのである。

機械文明のもと種々雑多な情報を各自が個々に見分け、識別することもなく、我々の生活が集団化され、個人の主体性が失われていくことは真に恐ろしい。肉眼は開いていても心眼が閉じてしまう。次第に集団が全部になり個人がゼロとなる傾向が強い。即ち社会が進んでいるかに見えて、実は人間が無内容になっているのだろう。

ここ北海油田の休憩室は個人では止めようもない蠢動情報加速時代への諦観のような雰囲気が満ちていた。髭の手入れもせずじっと眼を閉じて休憩している従業員の思念が、生も暗く、死もまた暗い――といったマーラーの「大地の歌」の旋律と同調し、大海原の北海のこんな所にまで響き、チェロとコントラルトが現世の寂愁を詠じ、救いを求めるように歌い、時には笑い、絶望し、祈るといった趣であった。

No.2

歴史都市ブタペストにて

『選択』29　2009年6月

ドイツのフライブルグ大学から車で数十分、標高約800m、シュヴァルツヴァルド（黒い森）という森林地帯にドナウ川の始点・源流をドイツ人教授と見に行ったことがある。教授によれば地球上の河川の50％以上が途中で流れが途絶えるらしい。ドナウ川はドイツ、オーストリア、スロバキア、ハンガリー、ルーマニア等10カ国を経て黒海へ達する。ロシアを除けばヨーロッパ最長の川であり約2860㎞もある。国境が海に囲まれた日本では、ひとつの大河が幾つもの国を貫通することの深い意味を考える機会はない。

ドナウ川景観の圧巻、「ドナウの真珠」と形容される美しい首都ブタペスト。ハンガリーは1000年の歴史を有するが、今はどうか？――2008年久し振りに訪問した。初回は四半世紀程前、東欧がまだソ連の圧政におののく共産圏の時代であった。以前ブタペストで弦楽四重奏曲を拝聴後、或るレストランで名物のフォアグラ（ガチョウの肝臓）にトカイ・ワインを戴きながらのことであった。日本語が少し判るマジャール人と「死の響き」のようなバルトークの音楽の源泉について対話した時である。第一次世界大戦前、光のおびただしい「オーストリア・ハンガリー帝国」と呼ばれていた時代、アドリア海に面した現在のクロアチアやスロバキアのほぼ全部、それにポーランド、ルーマニア、ウクライナの一部までハンガリーの領土であった。それが第一次、第二次大戦の敗北で次々と領地を失い、現在は日本の九州と四国を合わせたほどの国土となった。スターリンによる人間の尊厳の奥まで蹂躙する占領政策はその後だが、領土消失と人心喪失を透視したバルトークの、稀代の作曲家としての絶望感などが一因する、との説明を聞いたことがある。

一転、その彼から日本との共通性を聞いたことは印象に残った。マジャール語（ハンガリー語）が日本語と同じ膠着語《こうちゃくご》、即ち「好む、好まない、好めば、好んで――」の如く語幹に語尾を変化させ、膠《にかわ》で着けていくような膠着語であること。また何処にも兄弟言語を持たない孤立無縁な非属性も類似が想像される。更なる共通点として日本人同様、姓を先に書き、名を後に書くのだ。今回の旅では他の東欧諸国に比しかなり親日的なこと、又マジャール人には幼児期の臀部《でんぶ》等に「蒙古班」が出ることも聞き及んだ。彼等は歴とした白人種だけれども、モンゴル人、日本人同様「蒙古班」が出るとのこと、DNA的にモンゴロイド系民族との連関を想起させ、遺伝子的相互作用など定かでないけれど〝杵臼之交《しょきゅうのまじわり》〟のような情が湧いたものである。

ドナウ川丘陵のブタ地区にある13世紀建造の「王宮」や「漁夫の砦」だけでなく、平野地帯であるペスト（ペシュト）地区の中心・市街地などの美観は少しも変わっていない。そこには文字通り数百年の風雪に耐えた美しさ、それを維持する忍耐強い文化があった。

＊

所用で日系の某ブタペスト工場を見せて戴いた。ブタペストから車でルーマニア方向に1時間ほど南下、プラハでもワルシャワなどでも同じだが、首都から離れる距離に比例して、道路は次第に寂れてくる。ハンガリーには自動車やエレクトロニクスの主要な日系企業および海外企業だけで二十数社。それに関連部品メーカーが顧客の門前で即応するビジネスモデルを展開していた。

ハンガリーといえばフォン・ノイマン、エルノー・ルービック、ジョージ・ソロスなど世界に影響を与えた人物が多く輩出されるものの、歴史の傷跡が余りに深いためか、自国に定着せず頭脳流出し大きな損失となっている国でもある。

工場内の整理整頓はモノ作りの基本作業であるけれど、当たり前のワークマンシップをハンガリー人労働者に徹底するのは至難のワザ。作業者のレベル故かハンガリー人管理者経由でないと仕事が回らない。その上彼らが作業者に「チャンと仕事をしろ！」とは言わない相互無干渉の世界。社長の案内を受けてラインに足を踏み入れる。視線があっても無愛想。手も動くが口もよく動き、私語が多い。「せっかく会話を楽しんでいるのに、巡回とは何と不粋！」との思いを潜め射るような目つきがあった。工場出入り口付近のタイムカード。数百名いる作業者カードの1／3は常時不在。何かと理由をつけ、示し合わせては休み、医者も呼応して診断書を書く。他の企業も事情は類似らしい。しかも「ハンガリー労働法」で年次休暇は25歳未満でも20日間。女性の産休は3年間ＯＫ。会社は首にもできず給与を保証せねばならない。税金は36％だが、社会保障は手厚い。「あまり働かないように！」とでも言っているような社会制度である。ハンガリー在日企業経営者によれば、失業保険は1年間有効、3カ月労働3カ月休暇で会社を渡り歩くと一生生活に困らない計算となるそうである。

何故そうなるのか？　何故そうなったか？――数日間の滞在でそのカタリシスの如何ほども分からない。けれどもゲルマン、スラブ、オスマントルコに挟まれながらの第一次、第二次大戦とソ連の衛星国化に至る歴史、長く度重なる忍従とその奥から慟哭しているような人々の視線が心に残った。ハンガリーのように他国の従属が長いと、自立の精神まで殺すのだろうか？翻って、検証できぬが実感できる、同盟国！　同盟国！　と叫びながらも米国に懐柔されている日本は一体どうなのかしら？――ハンガリー国歌はレクイエムのように「神よマジャールに加護を与えたまえ、（中略）、悪運続いたこの民に、幸福の時を与えたまえ、この民はすでに罪を償いました、過去においても未来においても」と謳っている。

＊

視察後ブタ地区にあるゲレルトの丘に案内された。ドナウ川を見下ろし彼方に壮麗な国会議事堂を見通せる絶景の場所。以前は無かった何体かの纏まったブロンズ像がある。私も不明だったのだが、日本と深く関係する天才的彫刻家ワグナー・ナンドールの作であり、省察的な聖賢立像群が「何か」を訴えていた。ハンガリー政府が肝入りで用意したその高台は、日本人が殆ど立ち寄ることもなく存在さえ知らない「哲学の庭」と命名されたトポス。

帰国直後の2008年末『ドナウの叫び』副題〝W・ナンドール物語〟の新刊書と出会った。可燃性を帯びた状態で読まずとも、人種とは、民族とは、国家とは、を考えさせずにおかない迫力ある伝記である。世界大戦時、祖国のため止む無く銃を取り、ハンガリー動乱時に政治に参画し、この為亡命を余儀なくされ、絶望の中で人間を模索し、過酷な運命を辿った激しくも凛とした芸術家の生き様が記されていた。そこには千代夫人の情熱で「哲学の庭」創設にまで至った経緯も活写されている。この庭は、小国日本が大国ロシアに勝った「日露戦争」を語る祖父の代から武士道を精神規範とし、謙譲さの重みを知り、日本に憧憬し、遂に〝日本人〟となり30年も日本（栃木県益子町）に住み、骨まで埋めた「哲学者の遺言のトポス」でもあった。

No.3

日本と技術とイノベーション

『選択』43 2010年8月

〝イノベーション〟(Innovation) という言葉が叫ばれて久しい。我国ではこれを「技術革新」と訳す方が多いけれど、実は誤訳である。元ETT理事の吉川智教早稲田大学教授によれば1958年(昭和33年)の経済白書がその誤訳の犯人である。この時代の日本は技術を中核とした高度成長が著しく、「技術」こそが経済発展の源泉であった。従ってこれを「技術革新」と訳しその重要性を強調したことはそれなりに理解できる。しかし21世紀になってもその誤訳を使っているとしたら、いささか当惑する。それは技術革新以外にも沢山の創造的な革新があるからである。

イノベーションという語彙はラテン語のin+novus (新しい物事を採り込む) に由来しており、本来「社会に新しい価値をもたらす行為」といった意味。従って技術革新はイノベーションのひとつであり、技術を革新しても、ソレが人々に新しい価値を提供しなければイノベーションとは言えない。社会科学的な管理システム、ネット販売などビジネスモデルの生成、また良質のNPOやNGOなど国家の活動を支援あるいは超越した政治的喚起も「新しい価値の創造」

であり、イノベーションと呼べるものである。政治やメディアを中心に、米国の価値観に支配されやすい我国の民度の低下が目立つ昨今だが、日本人によるイノベーションに素晴らしい天性や知性や底力を感じることが多い。

*

こう言っておきながら「イノベーションの功罪」から入るのも気が引けるが、我国ピカイチ・エンジニアのひとりだった親友・金子礼三。数年前他界したのだけれど、日本初・自前でコンピュータ外部記憶装置ＨＤＤを完成したＮＴＴ（旧日本電信電話公社）のナノテク専門家であった。「自分のカネでもないのに税金で黒塗りのハイヤーの出迎えなぞ肌に合わねェ」とＮＴＴの役員就任も蹴って、ジーパンで自分の名が冠された研究室通いの生き方を貫いた猛者であった。

専門家なるが故の彼との印象に残る対話の幾つか。先ず「コピー機」。これが普及したのも1958年頃から。ソレまではガリ版を使いインクだらけになって原稿を作り配布資料を作成していた。これがコピー機の出現でいとも簡単にコピーができるようになった。しかし会議の出席者は配布資料は後で読めばよいとし、会議中の集中力は衰えてしまった。

「ワープロ」が次に登場した。達筆の人もミミズが這ったような悪筆の文字も全てきれいに統一された。原稿の校正なども容易になり、これが私信にまで使われることになったのである。一方で定形のフォントになったため、一見して誰の字なのか識別できなくなった。今までは勢いのある字、乱れた文字などから、その人のその時の心理状態や健康状態を推量することもできたが、それもできなくなった。年賀状でも色刷りとなり、どれも綺麗になったけれど大量印刷。住所もファイルから自動印刷。毛筆やペンで宛名を書きながら、「彼はこんな所に住んでいるんだ」、「どうしているかな?」と相手を思い浮かべることもなく、年賀状は自動的に印刷される。漢字の書き方も忘れてしまい、どれも画一化した無味乾燥な既成フォントを読むだけである。フォント洪水の中で、「ワープロ」は人間の大切な部分である〝想い〟を取り去り、人を量産機械化したのである。

その次に登場したのが「電子メール」。同じ内容なら多数の相手に同時発信することができる。従って少しでも関連する人にはドンドン送信する。こうして大量に送られてくる受け取り側は情報洪水。これではたまらないので受け取り側は読まずにドンドン消去する。送信した側は「読んだ」と思い込み、受け取った側は「読まない」。こうして情報化時代に情報断絶が生起する。会社や役所でも、他者へ配慮し隣りの同僚にメールを送る。相手も隣人に対し返事をメールで返す。一見能率的なように見えて、親しく面談する機会はなくなる。主題以外の雑談を含めたリアルタイムな人間同士の会話はそこにはない。人と人との対話には、お互いの表情、間の取り方、息遣い、顔色から諸動作に至るまでいろいろな情報を含んでいるものである。このように人間的な様々な情報を取り去った、機械的というか電気的、電子的な交信が、人と人とのコミュニケーションを一段と希薄化している。礼三さんは仕事の合間に、米国西海岸でグライダー操縦などを愉しみ大空飛行が好きな気性だったが、彼はこれを「三大悪イノベーション」と笑いながら言っていた。

＊

コレは人間の群れとしての動物の本質を失うことであり、先史時代以来の、人間が営々として築き上げてきた地域社会の文明や文化の破壊であり、人間が画一化され、無感動な昆虫のような存在に退化する前兆という見方もできる。——しかしこれはイノベーションという行為の中で、所謂アナザープロブレム（別問題）としての議論が必要なのだろう。「コピー機」も「ワープロ」も「電子メール」も人に多大な利便性と恩恵を与えてきた。

例えば「ワープロ」（ワードプロセッサ）。昔からあった欧米のタイプライターと事情が異なり、我国では漢字、ひらがな、カタカナ混合文化。英字とはかけ離れた文字変換入力、加えて複雑な字体の文字出力という非常に困難な課題があった。当時の和文タイプライターなどは写植の如く1文字毎の入力で全く専門家向き。従って、我国は止む無くコンピュータ上の漢字文化を放棄する方向に走っていた。そこに商用ベースで東芝の一エンジニアが、「漢字音から入力し、かな文字を変換する」大快挙を遂げた。即ちコンピュータ情報化時代に〝漢字が生き残った瞬間〟だった訳である。これが無かったらメールのやり取りも今頃アルファベッドやローマ字となり、日本語の美しい漢字ひらがな文化が画面上から消滅していたかもしれないほど。米国電気電子学会（IEEE）はこの〝日本語ワードプロセッサ〟に対し「IEEEマイルストーン」で〝歴史的偉業として認定〟したのである。こうした真に優れた偉業を達成したエンジニアに対し、我国ではどんな勲章を与えたか知らない。因みに中国の専門家も認めているように、「中国語ワープロ」も原理的に日本のかな文字変換の技術を使い「ピンイン」から入力し中国語を出力した。日本はコンピュータ時代に、中国の漢字文化存続にも多大な貢献をしたことにもなるのだ。

こういった例は事実上、旭化成の技術者発想による「使い捨てカイロ」にもいえる。鉄粉の酸化作用を利用し、火を用いず最高温度80℃以下をキープ。構造が簡単で、安くて安全なので世界中で使われている。「即席ラーメン」の日清食品も同様。若者世代を、一食100円程度でそれなりに美味しく顧客満足させている。中国も後を追いながら多種多量の5元「即席カップ麺」が店頭に山盛りとなったのである。――「13億人をどう食わすか」が最大の政治課題であった中国政府にとって、こうした日本のイノベーションは神様、仏様、といった存在の筈である。

我国は国家として政治戦略がなく、海外客人がくれば殆ど政府へカネの無心、といった風景に見える。又我々の貢いだ税金を多額献上しつつも、日本人が国連事務総長やIMF専務理事になったという話も聞かず、弁駁能力の欠如とでもいうべきか、国際社会で限りなく軽い存在となっている。

しかし行雲流水の如く日本の民間力によるイノベーションを分析すると、トルストイの名作『イワンの馬鹿』にみる〝大愚のような〟日本人の天性の純朴愚直さ、不撓不屈さが、結局は我国の政治的貧困の事情などに無関係に実質的に世界をリードし、ここにこそ国威を掲揚でき平和と尊敬を勝ち取ることになるのかもしれない。

No.4

シアノバクテリア農法改革

『選択』10 2007年11月

「北陸の発明王」といわれた酒井弥《みつる》氏にお会いしたことがある。氏は大阪大学で理学博士となり、カリフォルニア大学など北米へ10年間留学。言葉のハンデを克服しつつ本業、すなわち「科学する心」でも米国人に負けない研鑽を積んで帰国した。長男だったため形の上では家業を引継ぎ「造り酒屋」の経営者となった。しかし活躍の場は自ら酒井理化学研究所の主宰となり篤志家・福岡正氏の後ろ盾も得て、有機化学、高分子など専門領域で奇想天外な発想のもと、「発明工房」として多数の発明実績を残した人物といえるであろう。

酒井博士の科学は「面白く、為になり、人類が得をする」がモットー。卵と牛乳で人工象牙、ガラス屑で河川の浄化、非鉄金属鉱滓から電磁波シールド板、腐敗しない人工土壌、過冷却現象を利用した融雪塗料、100円ライターを利用したペン型発煙筒など多数の発明をなした。中でも泡の廃棄処理に困っていた某大手ビール会社から解決を依頼され、ビールの泡を重合《じゅうごう》して人工べっ甲の作成法を発明。天然物の捕獲不可からべっ甲が取れなくなった環境を一石二鳥で解決し、ビール会社のトップをして「平成の平賀源内」と感嘆させたそうである。

4、5年前に「ピロール農法研究所」によるシアノバクテリア(以下「藍藻《らんそう》」)に基礎をおいた農法の全国大会に於いて、主催者の黒田与作氏の紹介で講演者の酒井氏にお会いした。氏が土壌を長期間研究、藍藻こそ農業の連鎖障害を解決できる切り札として、その奥深さ、面白さ、無限の可能性を話されたのはこの間のこと。思えば亡くなる半年前であった。

門外漢の私がバイオエコロジー系の書籍を読み漁り、友人の官僚から農政・票田・農協の利権がらみの根深い問題も聞き、素人ながら藍藻を観察、光合成を確認し、藍藻用資材の製作現場を見、農地へ立ったのはそれからのことである。無論そんなことだけで農法の千分の一、万分の一も判りやしない。しかし氏の生きる姿勢に惹かれたこともひとつの衝動となった。氏の長男は米国で一級の国際弁護士となっているけれど、「造り酒屋」の後継がない。故人の遺言で約1500坪もの老舗酒屋を自費で処分・更地化し、今立町(現越前市)へ寄附したそうである。公僕である筈の代議士の家屋敷の垣根が高くなる一方の世の中で、このような人物が衆参議員の大半を占めるようになれば国会も凛然となるであろう。

＊

「藍藻」は地球創生後の今から32億年前、南アフリカの地層から生物の世界最古の化石として発見された。氏によれば藍藻は単細胞植物で、バクテリアと共に原核生物であり、クロレラのような真核生物と区別される。藍藻は光合成により二酸化炭素から酸素を発生、放出する。核を持たないことから藍藻を細菌として扱い「シアノバクテリア」と呼ぶことが多い。また細菌の中には光合成を行うものもあるが、酸素は放出しない。この点で細菌とも異なる。しかも、増殖は常に無性的に行われる。藍藻は世界中至る所に分布し、温度に関係なく、湿っていれば海水中でも淡水でも、空中に露出した場所でも、熱い温泉の中でも生育する。米国イエローストーン国立公園のマンモス・ホットスプリングの周辺が着色しているのは藍藻のためである。土壌中でも、石灰中でも繁殖する。また空気中では窒素を固定する能力がある。

藍藻は土壌中にCO_2を出す現行有機肥料と異なり、CO_2を使って大気中や土壌中にO_2を放出する。酸素は人間や他の動物にとっても必定《ひつじょう》。自然界の平衡状態を維持する重要な役割を果たしており、CO_2が地球温暖化の原因だとすると、一段と期待できる。藍藻は田畑の肥沃化には必須のものであり、氏とピロール農研との30年以上の地道な研究成果に裏付けられているように、無農薬による土壌復活、それに基づく顕著な高栄養価作物との相互作用がかなり検証されている。「藍藻」のこの不思議な働きに最初に注目したのは福井県農業試験場の寺島農学博士。最適肥料の研究途上、紅色細菌に酸素発生に必要なマンガン錯体《さくたい》がついた光化学反応を発見した。その後酒井博士に基盤的なメカニズム研究が委ねられた。

ドイツの名門ベルリン・フンボルト大学は１８１０年創立のベルリン最古の大学である。初代学長は哲学者でドイツ観念論の創始者ヨハン・G・フィヒテ、２代目学長はローマ法学者で国際法の基礎を築いた法務大臣フリードリッヒ・C・サビニュー、３代目学長はヘーゲル学派の創始者・哲学者ゲオルグ・F・ヘーゲルといった偉人達を基礎におく。そしてプロイセン王国が根幹となり成立したドイツ帝国発祥の、ドイツ文化圏を代表する大学である。

＊

このベルリン・フンボルト大学の友人T.Borner（バーナー）教授らに生命科学研究所で会い藍藻について意見を聞いた。昔の旧東ベルリン市街地にある。教授は20年以上シアノバクテリア研究をしており、１５００種類もあるシアノバクテリアのデータベースを構築中。医薬の本質を変えるべく藍藻による創薬事業を目指している。

藍藻が在る所に生物が存在、転じて人類が生存できるという根源の認識なのである。多種多様のシアノバクテリアの性質を分析し、人体に効能効果が認められる約８００種類について抽出。各種実験室で動的撹拌、温湿度耐久試験、バクテリア異性種による相互作用などを通してシアノバクテリアの本質に関する基礎研究と応用研究を実施している。そして大学発ベンチャーを作り従来の人工的なケミカルコンパウンドに代わる生理活性物質を中心に天然創薬の商品

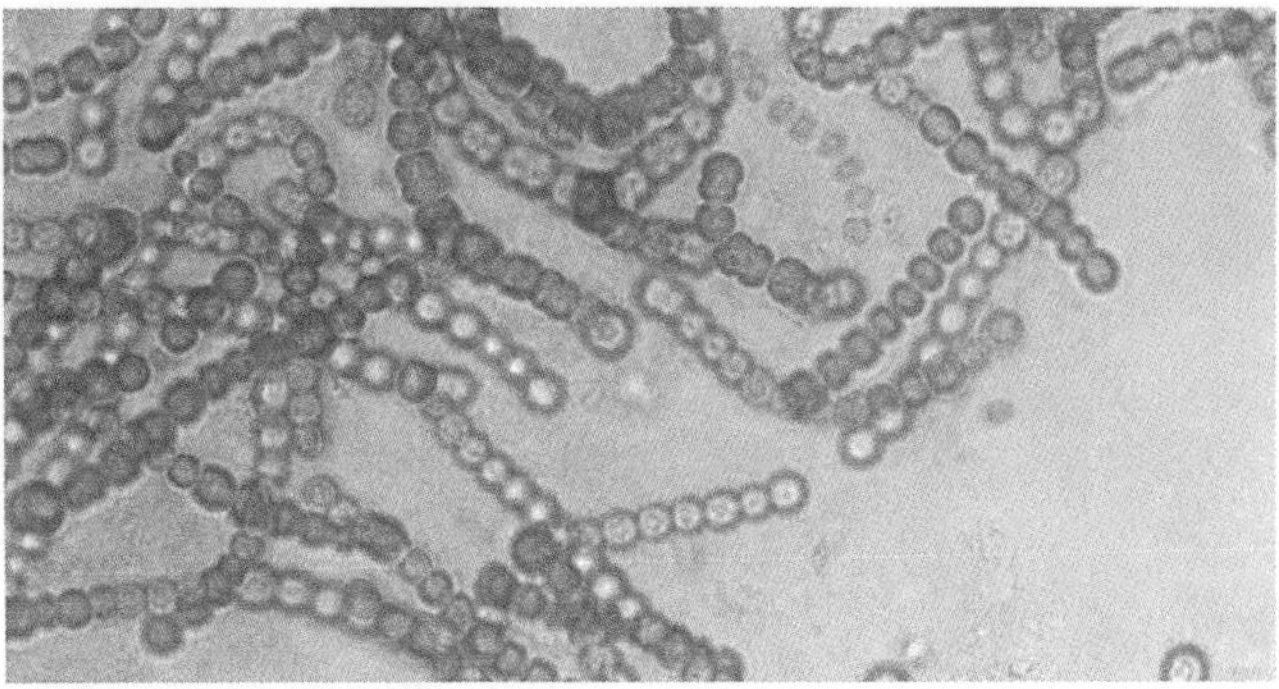

「切り札」として期待される藍藻

開発を急いでいた。教授らは日本が世界に先駆け30年以上前から藍藻の知見を蓄積している事実に驚き、敬意を示し、農法改革の考え方に眼を見張ったものである。

＊

現在の我国の農地は、農薬や酸性雨等で汚染が極度に進行し、藍藻が簡単には増えない土壌となった。しかし終戦までは藍藻が潤沢だった。藍藻リッチの土壌の作物は米から野菜、果物に至るまで骨力を高めるデータがあり「骨が豊かな人の力」を「體力《たいりょく》」と書いた。今の「体力」ではない。

第二次世界大戦時、日本の兵隊は30kgの背嚢を背負って20kmも歩き米国兵を驚かせたという記述がアメリカにある。アメリカは日本兵の強靭さの原因が食事（特に米と魚）にあると推断。日本の500カ所の土を本国に持ち帰り、化学分析の結果その主因が「当時の土壌」に依っていることを突き止めたのである。戦争終結に原爆投下までした戦略国家・米国は、日本の戦後処理の一環として、優秀な日本人を弱体化させる第1の方途は土壌汚染（農薬をばら撒かせること）、第2に海岸淵に四大工業地帯を作らせ海洋汚染（魚を汚染させること）——と結論付けたとの説もある。真偽はさだかではないけれど現実そうなってもいる。

付言すれば今また農政当局が〝日本農業の不振？〟を理由に「農産物の関税など国境措置撤廃」という食糧外国依存への傾斜を強めている。国民の食糧自給ができずに国家の安全保障は可能なのか？　他国が食糧等危機時に一体誰が日本に兵糧を送ってくれるのか？——電力、ガソリンを手足に譬えるなら食糧は国家の心臓である。

日本の清浄だった土壌・大地を復活させるのに藍藻はこれ以上無いといわれるほど諸条件を備えている。ピロール環が4つ集まると「テトラピロール」という有機物となるが、その資材となるべき排泄物は山とある。また生石灰は日本中何処でも採れる無尽蔵の資源。これに藍藻を関与させることで還元作用によりクロロフィルとなり植物形成循環を獲得できる。各種農法が多数存在していることは承知しているつもりだが、どれだけ根幹的、救国的となっているであろうか。浅学の私には分からないが、地球規模で考え地域で行動する議論が必要である。一方他策がなければ更なる研究を進め、ダイオキシン被害、温暖化防止等の可能性まで秘めた起死回生に近い藍藻農法に期待し、日本から海外へも発信を——と愚察している。

No.5

「シティを語る会」を語る

『選択』23　2008年12月

「シティを語る会」は飲み会である。「飲み会」に対応する英語を考えてみたが、どうも適当な言葉がない。辞書にはDrinking session, Wine party, Drinking boutなど訳語として載ってはいるが、どれもピンとこない。どの言葉も目的として「飲む」が強調されている感じがあり、Drinking boutとなると、酒の上での「一騎打ち」の感すらある。日本における「飲み会」は「飲む」のニュアンスは弱く「集まり」の意味が強いからだろう。

「シティを語る会」は前期高齢者の面々約20名が年何回か集まる。共通点はロンドンに駐在した日本を代表する金融機関の幹部であったことである。主幹銀行系など企業現役役員もかなりいる。都市銀行、信託銀行など邦銀がロンドンに証券現地法人を設立したのは1985年頃。その社長達の集まりが、〝余りに知られていない日本の存在〟――を少しでも知らしめるべく「サムライ会」を立ち上げ、これと証券会社の現地法人の幹部連が合流し「シティを語る会」が構成されたそうである。

日本の「飲み会」は、言うまでもなく日本人が持つ同族意識や、共有した時間と人との出会いの縁を意識無意識の別なく大切にすることで成立している。しかし中学・高校・イエール大学を出て25年以上米国生活を有し、英語で夢を見、英語で考える会員某氏によれば、このような集いは米英では先ず見うけないとのこと。同窓会など半分公式の行事を除き、米国での集まりはもっと個人的で、参加者はホストの一存で決まる。英国ではGentlemen's Club、例えば「リフォーム・クラブ（政治改革系）」や「オーバーシーズ・クラブ（植民地時代からの海外駐在系）」など社交場もある。しかし英米では「相互に共有した時間と人との出会い」というより、「その時々で誰と時間を過ごすか」が重要なのだ。特に米国のように広い国では、一度縁が切れると相手を探すことさえ難しくなる。「飲み会」ひとつをとってみても、我国と米英の「人との縁」に対する考え方に違いがある。

また「飲み会」を組織するには世話人というか幹事役が必要である。「重要な裏方の仕事」であり、我国ではこれを買って出て見事にこなす人がいる。米英ではカネにもならない「無駄な仕事」は「オレのする仕事でない」となり、裏方への認識が日本とは違うのだ。「シティを語る会」の代表幹事は、自身ロンドンに駐在・帰国後、名だたる銀行や証券会社の会長、頭取、役員、大蔵省出外交官や日銀理事など多士済々をフラットに束ねる名優なのである。

＊

「シティを語る会」で〝City〟が語られることは余りない。しかし企業戦士的赤裸々な会話は無論披露される。当時、銀行の証券現地法人主業務の中でも、特筆すべきは日本企業の発行するワラント債（新株引受権付債権）の引き受け。折からの株式ブームで将来一定の価格で株式が購入できる権利（ワラント）は非常に魅力ある投資対象であった。発行者はこれを円に転換するための円ドルスワップの取引を組み合わせることで、何と発行者にとってマイナス金利が発生。未曾有のバブル期であり、ワラント債を発行する毎に利息が入る理論的に説明不能の「そんな馬鹿なこと！」が実際続いたのである。ロンドンの一流ホテルで調印式が行われるたび毎に大いに盛り上がり、現代版「鹿鳴館」の様相を呈した。このため日本からの客人接待も重労働だったようで、当時ロンドン便の到着が早朝4時半。止む無く家を3時半には出、ランチ、ディナーと連日連夜のフルアテンド。これがタタって気のない糖尿病を疾病、〝労災〟にもならなかった就労事情。――数学的には「英国の50ペンス貨幣は何故作りづらい七角形なのか」発券銀行のBank of Englandに実際に聞きに行った時の銀行の返答。――「高齢化し77歳になると、認知症有無の如何に拘わらず英国では自動的に運転免許が抹消されたが、真の人道主義とは？のあるべき姿」論から、時には「爆弾（海苔を巻きつけたおにぎり）」を食べながらロンドンのゴルフ場のプレー代を吊り上げていった日本人の自戒論にも及ぶ。――人事的には、当時の英国政府の政策下、能力不足の現地人を解雇するのは至難の業。「直ちに辞表を書け！　さもなくば即刻解雇処分とする」と言い渡しても「会社は我々英国人をクビにはできない」と平然としている。この相手に、「君に今度会うのは法廷である。その場合、裁判に負けてもかまわないが、君がいかに無能でいい加減であるか、世界中に言いふらす」と宣言。その10分後に彼が辞表を書いた雇用哲学。——国際的には「ゴールドマン・サックスが欧州総本部を開設した披露パーティに当時のサッチャー首相がゲスト・スピーカーとして招待された。スピーチで〝これは英国と米国のアングロサクソンの見事な協業だ〟と言ったとき、〝オリエンタルもだ！〟と国士的野次を入れた。すると彼女がその場で〝そうだオリエンタルも一緒だ〟と訂正した即興。——エリザベス女王による外交官招待レセプションで拝顔した際、個人情報保護法じゃないけれど、こちらの趣味まで知っておられた女王陛下の体温や感性——等々紙面があまりに足りない。

＊

還暦も過ぎて文系も理系もないけれども、数年前、名幹事と長老の推薦などで20年以上の歴史ある「シティを語る会」のメンバーとなった。ロンドンのロイヤルフェスティバルホールに100回以上入った経験が入会の暗黙知基準を満たした様子である。唯一の理系であり、日本のGDP貢献の立場からは銀行・証券など金融系とは、虚業と実業ほど違う生産系。「物作り派」の異分子なのだが、180度も異なるモノの見方や価値観に啓発される。

取引というか常にTransactionを追う証券業の狩猟的世界と、Stockという利息中心の銀行業の農業的世界。一般論だが、ある物事が上手くいかない場合、理系人間は「何故」失敗したかを分析し、次回のミスを回避しようとする。しかし彼らは「何故」に興味がなくはないようだが業務上それは後回し。当面の問題解決である他の代替案に走る機敏さ、手を打った直後の涼しげな顔付きにはしばし唖然とし、異文化さえ感じる。しかしここに集まる面々の国士的で国際的な、本質的で鳥瞰的な知性の横溢には唸ることもあり、虚業系へのよこしまな偏見も溶解することもしばしばあった。硬くて音がする機械系、霞を食べる物理系の集まりも面白いが、「シティを語る会」は、文字通りコスモポリタンによる洗練された幅広い話題で談論風発される。時に議論が高度に沸騰すると、2008年春他界されたのだが富士銀行の重鎮だった長老のひとりが徐《おもむろ》に立ち上がり、英国詩人バイロンの詩などを英語で即詠して鎮める。知性に到達点はないけれど、シニアライフかくあるべしという典型のひとつがここにある。

No.6

日中科学技術交流協会と学者の条件

『選択』35　2009年12月

日中科学技術交流協会という格式高い学術団体がある。歴史的には1955年、量子物理学者の坂田昌一教授が北京を訪問、返礼で郭沫若《かくまつじゃく》を団長とする学術視察団が訪日した。因みに郭沫若は、大正時代に日本に留学し、九州大学医学部を卒業しながら、文学の道に進んだ文学者・歴史学者であり、戦後は政治家としても活躍し、来日当時は全人代常務副委員長を務め、1963年には中日友好協会名誉会長となった知日派である。

翌1956年に茅誠司団長の訪中視察団、翌1957年、朝永振一郎《ともながしんいちろう》団長による日本学術会議・日本物理学会による合同訪中団が北京を訪問した。この朝永訪中団のメンバーをコアとする有志の中から当協会は1977年、非政府活動（NGO）的色彩を強め、日中の科学技術交流の着実な発展を支えることを目的に発足した。現在の会長は有山正孝元電通大学学長。お父上が協会初代会長だった徳高望重《とくこうぼうじゅう》の物理学者のご血統であり、副会長である藤崎博也・山脇道夫両東大名誉教授を始め理事の大半が各研究領域の重鎮で構成されている。近藤次郎元日本学術会議会長や藤田良雄元日本学士院院長も協会名誉員であり、見渡す限りの学者集団。若輩の筆者は、たまたま中国の清華大学に長年在籍しており、7～8年ほど前、故・菅野昌義前会長からご丁寧な要請があり、理事の末席を汚すことになった。先生は真に敬虔なクリスチャンで、市井の肌触りとは異次元の温かさと高潔さと高い見識を備えた学者であった。

中国にも尊敬を集めている学者は多い。一例だが華羅庚《からこう》（1910～1985年）という数学者がいた。氏は中国では例えば楊振寧《ようしんねい》（ノーベル物理学賞受賞者）以上に、最高の敬意が払われている国際的にも著名な立志伝中の学者である。彼は経済的貧困のため大学へ行けず独学で数学を学び、1930年「科学」誌上に発表した論文が、当時フランス帰りの数学者・熊慶来《ゆうけいらい》の目に留まり、清華大学数学部助手に採用。その後英国ケンブリッジ大学に招聘され渡欧。更に渡米しプリンストン大学数学研究所研究員、イリノイ大学教授、清華大学教授となり整数論、素数論で世界的数学者となった。晩年は中国数学学会会長、中国科学院数学研究所所長、全人代常務委員を務めた。文化大革命時に激しく迫害されるが、毛沢東、周恩来により例外的な特別保護を受けたことでも有名な学者である。華羅庚は1985年、東大・本郷で日本の数学者を集め英語で講演中、心臓発作で壇上で倒れ急逝した。この時の座長が当協会理事のひとり、関数解析学の小松彦三郎現東大名誉教授である。

数学者って一体どんな種類の人間なのだろう？――トポロジー概念を発見した世界的数学者

ポアンカレは初歩的な知能テストを受けたとき、結果は「愚鈍」と出た。またインドの天才純粋数学者S・ラマヌジャンは何度も大学入試に失敗している、といった逸話を知るといささか親近感も湧く。「世俗からの乖離度」のような尺度で比較すると、学者の中では物理学者より数学者がより学者らしいかもしれない。

管見にすぎないけれど、例えば「自動車事故は運転時間に比例する」――との問題があり数学者に解決を求めたとする。「解は、道路上にいる時間を最小にするため自動車を最高速度でブッ飛ばす」といったアナロジーを臆面も無く展開する人間のイメージがひとつある。また工学と異なり、数学者の仕事は、「関係と推論」との孤独な研究を、誰も達し得なかった数学的記述の中で人間の精神の名誉にかけて表現する作業。数学の世界では、共同作業というのは殆どないし、数学の学術論文の著者はいつもただひとりであることが大半である。

2008年初夏、久し振りに東大・駒場へ行き、華羅庚急逝時の座長だった小松先生と最近の「世界の数学動向と教育の方向」について昼食を挟んでご高説を伺った。

それによると18世紀までヨーロッパのアカデミーはフランスのパリ、ドイツのポツダム、ロシアのサンクトペテルブルグが純数学の三大メッカ。特にフランスはパリで純数学、ベルサイユでは応用数学を創設し、現在まで国家国民全体が数学者を大切にしてきた。フランスではエコール・ポリテク、ノルマルなどグラン・ゼコールで数学を専攻した面々が大統領や知事や市長になっている。しかしドイツの数学はナチスが政権を取ってから駄目になった。数学の王様F・ガウスに礎《いしずえ》を置くゲッチンゲン学派の学統学者の多くが米国へ亡命。特に学派の指導的数学者であったD・ヒルベルト。彼の弟子であるR・クーラントが米国へ行ったのが象徴的で致命的。彼の渡米が米国数学界発展の起爆剤になり、米国の国威は指数関数的に高まったとのこと。米国の凄さは、クーラント数学研究所（CIM）、プリンストン高等研究所（IAS）、ミネアポリス応用数学研究所（IMA）等に数学拠点を次々意図的に作り、数学を基軸に世界制覇にむけ国力を高めた。一例だが人工衛星でスパイ活動を執行するのにも数学が広範に導入されている。

一方、我国では政治・行政（文部科学省周辺）筋が数学を「忘れられた学問」と言っている。この認識のギャップは、結局「学問」のものの見方に帰結する。「数学モデルを作り、これに現実を反映させる」のが物事全体の本質。「何故数学が教育の中心なのか」を米国や仏国政府は深い認識下で対処している。それなのに我国では、物事の全てがこの本質の中で推移していることを、教育の場で教えなくなったのが数学退廃の原因。このため日本は戦闘に勝っても戦争に負けたのである——と淡々と述べられ、琴線に触れたものである。

他方、高名な物理学者で数学者でもあった伏見康治先生も、数え100歳のご高齢を押して、名誉員の立場で陰陽に協会活動をご支援戴いてきた。いかにも学者然とした風貌・風格であったが、昨年他界される直前、学士会館から横浜のご自宅までタクシーでお送りすべく同乗。車中では温和ながら箴言に満ちた「学問」談義を伺いご一緒したのが最後となった。

19世紀末のドイツの社会学者M・ウェーバーに『職業としての学問』という報文があり、学者の資格を論じた個所がある。ウェーバーは、例えば「或る古文書の、或る一箇所の解説に自分の生涯を賭けても悔いは無い——といった情熱が学者には必須である。即ち門外漢から『何故あのような下らないことに、あそこまで入れ上げるのか』と訝られる位の情熱を持たない人間は、学問にとって所詮は無縁の輩である」——と述べている。筆者のような技術や工学に携わる面々は、別の力学が働くためか、そこまで徹底できない。

おカネの臭いが殆どしない協会の運営を通じ、学者の感性や振る舞いを見ていると、何処にもある定常的な俗事に対し、時に形而上的で非定常な反応に驚くこともある。一般には無意味と映るような研究に打ち込むことは無論、場合によっては死ぬまで解決できぬかもしれないけれど、そんなことは問題ではない!!——といった気構えと生きる姿勢が学者たる要件なのではなかろうか、と上等な劣等感のようなものを密かに感じている。

No.7

囲碁と名人と人柄と

『選択』11 2007年12月

ニューヨークのカーネギーホールの筋向かいに日本クラブがある。市在住の日本人が集まる社交場であり、中でも雰囲気のある囲碁サロンに広いスペースが割かれている。4半世紀ほど前より出張時に時間があれば立ち寄ってきた。ここでは坂田栄男《さかたえいお》名誉本因坊にばったり会ったり、クラブの壁新聞によれば福田赳夫元総理も見えた様子で名誉7段とあった。

1980年前半頃だったか、ブラリと入ると財界総理として尊敬を集めていた土光経団連会長がどなたかと打っておられた。大局観のある渋い碁で、たしか6段の腕前だったと思う。

かくいう私は囲碁界では知らぬ人なしと言われたアマ四天王のひとり、故村上文祥《むらかみぶんしょう》氏（荏原製作所元代表取締役副社長）の不肖の弟子のひとりである。囲碁だけでなく仕事でも随分と可愛がって戴いた。因みに文祥さんは因島出身の村上水軍の末裔。本因坊秀策《ほんいんぼうしゅうさく》と同郷でもあり、新聞を開けば出ているほど話題にことかかない著名人であった。なかでも印象的だったのは、最も強かった時代の坂田名人にアマ名人たる氏が、先の番碁に勝ったこと。また中国の王者、聶《じょう》衛平《えいへい》が来日し氏と対局した時も隣で見ていた。つまらないことに動かず戦う人間の風景――とでもいったものを見ていた気がする。文祥さんは中国棋院の指南役も兼ねていた。碁は有史以来2度と同じ棋譜が生まれないほど深遠なので、会社経営や人生そのものに通ずる所がある。またルールがシンプルで制約が少ないため、世界共通で愉しむことができる趣があり、無限に広がる宇宙と共に、古典力学の体系の美しさにも似た所がある。従ってスポーツにおけるサッカーのように、中国発日本産の出自ながら、いずれ世界的に発展する可能性を秘めた頭脳競技となる予感がする。

*

文祥さんには政財官界からも碁の手合わせの依頼が多く、ビジネスによく繋がった。会社の箱根保養所「清山荘」などでは、文祥さんを囲んで6面打ちや8面打ちが行われた。また手合いが行われる場合で員数が不足すると、連絡があり、「箱根に直ぐ来ては如何か」――などと丁寧に呼びつけられた。腕自慢の若手には「ワシを11段と心得よ」といいつつ四子《よんし》で指導した。文祥さんの言葉つきは概ねこのように命令基調なのに、何故か温かい雰囲気で包み込まれてしまう。徳性なのか習性のなせるワザなのか、人間のぶ厚さ、弾力さ、深さとでもいったいわゆる人格が伝わってくるのだ。

勇んでいくと審判長の文祥さんは昼日中からウイスキーをよく飲んでいた。アルコールの方も囲碁に負けない位に強く、「酒豪」という領域をこえ殆どウワバミといってよいほど。ビールや日本酒をかなりやった後オールド・パーを一晩で1、2本空けるのはフツーであった。決して多弁でなく、風貌は豪傑勇壮なのに碁でも仕事でも繊細綿密な分析をする実行型のタイプ。仕事上で「うちのアインシュタインは本件をどうお考えカナ？」などとやつがれの応手を聞いてくる。決して褒め言葉ではなく「立派だが実利は？」と切り返し、経営戦略の大局観を模索する――といった按配で、人間の波長がよく合った。また人によっては「貴殿の相手をしておる時間がござらんデナ、娘

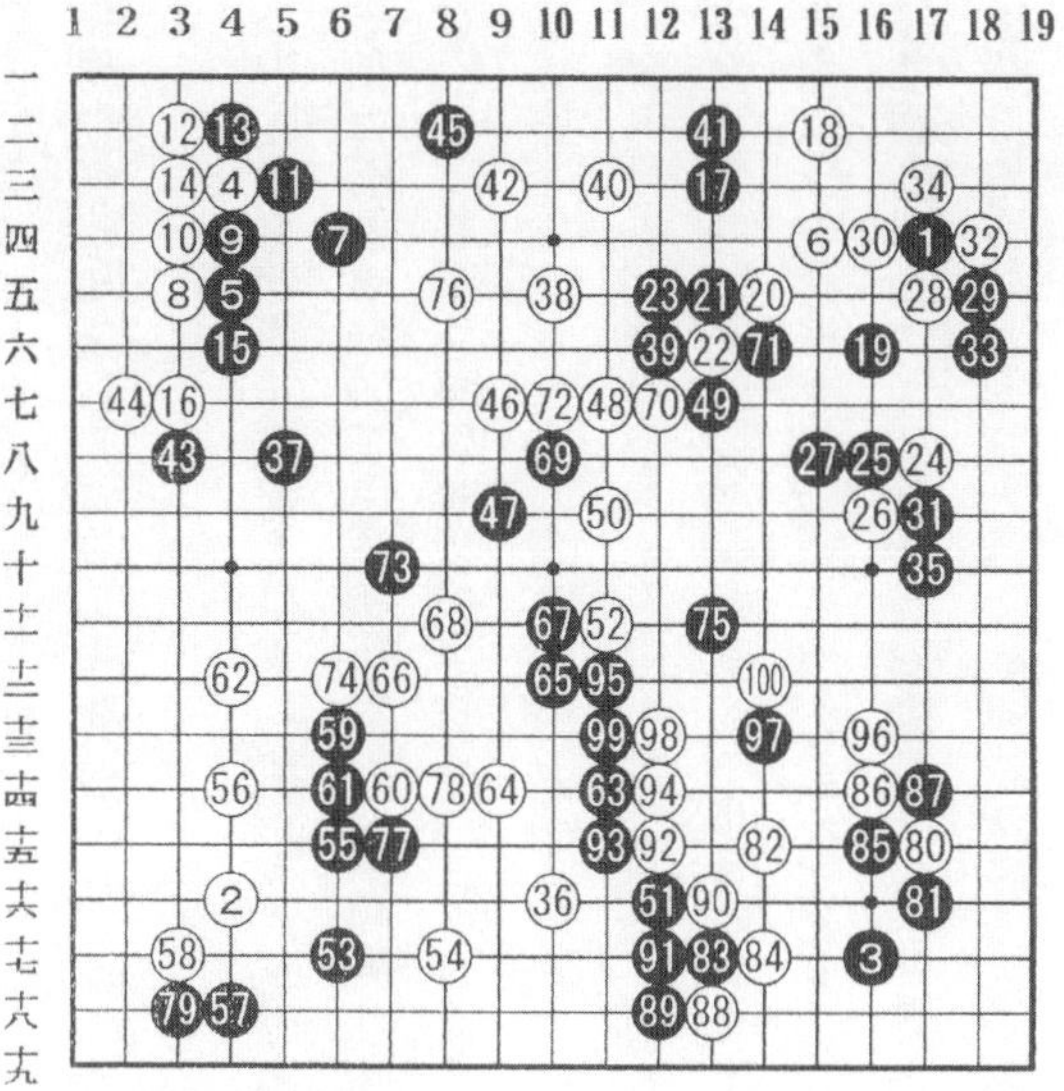

第2回世界学生囲碁王座戦　優勝決定戦　第1譜（1〜100手まで）
姜暘（中国・北京大）
先番　劉欣（中国・清華大）
258手完　黒13目半勝ち（6目半コミ出し）
2004年2月22日　於・日本棋院
出典：2004年3月7日日本経済新聞

（村上祐子さん：当時東大囲碁部2段）に言っておく」とヤンワリいうのだが、大抵の面々は怖気付いて止めていたようである。

＊

中国でも季節になると清華大学のキャンパス内で全国学生名人戦などが開催される。15年ほど前は碁盤といっても木製でなく、風呂敷状のビニールシート製に碁盤の目を書き込んだ粗末なもの。碁石はおはじきのような薄手の石であったが代表レベルは強かった。清華大VS北京大など審判のひとりとして立ち会うこともあった。また講義終了後の帰途、北京の中華料理店で偶然「囲碁の神様」といわれる呉清源ご夫妻にお会いしたこともある。「文祥さんの弟子」というだけで他に説明の必要がなく、神様から「それならば相当打たれるでしょう」と挨拶された。しかし私の碁は段持ちとはいえ下手の横好き。「不肖の」という形容詞を省略するので、人に定常的誤解を与え、文祥さんの名声をアチコチで汚してきた。神様とのことを師匠に話すと、「もう少し励みなハレ」と匙を投げつつも叱咤の言葉があった。

いつぞや銀座で食事後はしごをし、お互い少し酩酊気味で田園調布の文祥さん宅経由で車に乗せてもらったときである。丁度小林光一9段の全盛時代・最終楽章の頃だった。名誉名人、名誉棋聖、名誉碁聖位などを次々決定づけ世界囲碁選手権などでも優勝していた時である。「趙治《ちょうち》勲《くん》も小林光一君も若かりし頃揉んでやったことがあってナ。光一君は未だ15～16歳頃だったが歴としたプロ5段。アマのワシに負けて悔しがってノウ。悔し涙を流してオッタヨ……」

＊

その小林光一さんにも後日北京空港のラウンジでお見かけし、いつしか友人となった。日本棋院にある「仁風会」なる碁会で以前、小林泉美女流棋聖に四子でお手合わせ戴いたことがある。しばらく打ち進め、年長者に対する手加減も何もないまま大石が討ち取られひどい目にあった。このご縁が繋がったのかもしれない。光一さんは木谷一門の優等生。木谷先生の令嬢・禮子さんと結婚したこともあり、ご自宅には碁界本流の雰囲気が漂う写真や木谷先生を偲ばせる品々があった。その部屋で新たに購入した榧《かや》の碁盤に「飛翔」と揮毫してもらったことがある。エナメルが乾くまでコタツに入り四方山話などした。光一さんには治勲さんのように「碁に負けると僕には絶望しかない」とか、グランドスラム達成時の就位式で「後は女装して女流のタイトルを狙いますか」といったエスプリやジョークは無い。というよりそういった機知に富んだ弁才無碍《べんさいむげ》とは無縁な「内観の人」なのだろう。

文祥さんの例の「悔し涙」話をさらりと切り出すと、ご本人も記憶していて「あまりのショックで1週間ほど眠れず、食事ものどを通らなかった」と内省ぶりを示した。また棋士は体調管理が生命線とのこと、「少肉多菜、少塩多酢……少煩多眠」などの健康十訓（確か江戸中期のの健康十訓（確か江戸中期の横井也有《やゆう》作だったと思う）を心がけている、このため最近はテニスだけでなくゴルフも心がけ現在83～84レベルで回っている、自分は木谷門下の内弟子となり学校を出てないので、知らない世界、特に経済や科学などに興味を持っている——とのこと。ナノテクの最近の動向などお話ししたものである。趙治勲、坂田栄男に次ぐタイトル数59は歴代第3位。ライバル趙治勲との対戦成績は五分五分の63勝63敗（2004年3月時点）の時代を画した押しも押されもしない大棋士。それなのにTV等で歓談する時などでは、表面的にはしばしば安定感が希薄化し全体に薄さが目立つ感じであるが、実はこれこそが光一さんの根っ子の部分「少言多行、少憤多笑」たる所以なのだろう。

不肖やつがれも体調管理にゴルフ、知力管理に囲碁をと心がけはしている。しかし文祥さんの「もう少し励みなハレ」ではないが、勝負事は何事もハングリーにならないと伸びない。だから囲碁も伸びないことは分かっている。

No.8

「水素」にまつわるビジネスと夢

『選択』45　2010年10月

「水素」というと多くの読者同様、反射的に英国最大の化学者で水素の発見者であるH・キャベンディッシュ（1731〜1810年）を連想する。むかしケンブリッジ大学訪問時、tin can & sealing wax（あり合せのアキカン等で実験装置を手作りする伝統）で有名な、自然科学系で世界最高といわれる「キャベンディッシュ研究所」を案内され、彼の清廉潔白だった生き様を知り印象に残った。

彼は2歳で母と死別。母親の愛情を充分に授かれなかった為か、奇人といわれるほど極端な人間嫌いだったそうである。訪問時の教授の説明並びに『元素発見の歴史』（M.E.Weeks, H.M.Leicester共著）等を要約すると、キャベンディッシュは貴族の出身だが、父共々清貧な生活をしていた。しかし父の死で莫大な財産を継承した。ついで伯母が別の巨額の財産を彼に残したため、「学者の中で最も裕福で、富裕者の中で最も教養のある人物」となった。それでも尚キャベンディッシュは非常に慎ましい生活を崩さなかった為、他界時には英国銀行最大の預金者だったそうである。彼は科学的に聡明で何事にも造詣が深いことで名声を博していた。英国王立学会の或る集まりのスピーチで、他国科学者がキャベンディッシュを賞賛しだした時のこと。――彼は初め恥ずかしそうに聞いていたが、遂には全く当惑し、参会者をかき分け待たせていた馬車に飛び乗ってしまった、との逸話がある。また或る化学者によれば「キャベンディッシュと話す時は、決して彼をまともに見ないで、そっぽを向いて話しかけることです。そうすれば彼に逃げられることはありません……」との述懐があるほど。

キャベンディッシュは水素の発見者として知られているけれども、非常に謙虚で、水素と空気の混合物の爆発に関する論文の前置きに「……これは他の人々によって観察されているが……」と述べている。しかし彼は鉄、銅など使い実験して、初めて気体類を収集し、水素に「金属から生ずる可燃性空気」という言葉で名付け、他の気体と区別した最初の人物となった。この瞬間、アリストテレス以来の「物質は4元素（火、土、水、空気）から成る」という〝元素の概念〟が崩壊した訳である。

*

中学・理科で「周期律表の原子番号」は、元素の原子が持つ陽子の数に添って、陽子1個の原子なら水素。陽子が2個ならヘリウム、3個ならリチウムといったように変化し陽子数が増える毎に新たな元素になる――と習った記憶がある。宇宙で最初に生まれた元素である原子番号1番の「水素」。水素hydrogenは「水を生じるもの」という意味である。水素は何でも一番のイメージであり、宇宙で最も多く存在する元素、宇宙の質量の約3／4を占める。他の全ての元素も、水素原子から核融合反応により生まれたとされている。

「太陽」も大半（75％）は水素で構成され、いわば水素の巨大な塊《かたまり》。太陽の中心温度は約1500万℃。この状態では水素は核融合しエネルギーを放出、それが太陽表面まで到達するのに100万年ほどかかる。太陽表面は明確には存在せず、気体でも、液体でも、固体でもない状態（超臨界流体状態）の模様で、推定年齢46億歳。地球の寿命は、太陽の寿命である「消滅まであと63億年」に支配される。

また「元素」は「物質の種類」を表し、「原子」は「物質の粒子」を表している。偉大な物理学者R・ファインマンは、科学の歴史を一言で集約すれば「全てのものが原子でできている」ことに尽きる、と述べた。原子を構成する陽子も中性子も電子も、物質世界を更に微視的階層構造で見れば、素粒子（これもレプトンやクォークに細分化される）でできているとされているる。物質的に有機体である人間も全て原子でできていることは、頭の中の理解とは別に狼狽し戸惑うばかりである。

さて〝原子である水素〟は陽子1個に電子1個でできている。他の全ての原子の原子核は陽子と中性子でできているのに、水素だけが唯一の例外。原子核に中性子を持たず、全原子の中で構造が最も単純で軽い。一方、電気的には原子核がプラスの電気を帯び、電子はマイナスの電気を帯びている。更に水素イオンは酸性の源。陽子（＝プロトン）などというと何やら難しいけれど、水素イオンは「水素の陽子」そのものなので、酸性度を定量的に表す尺度でよく知られている水素イオン濃度（pH）も、水素のプロトンの濃度といっても良い存在である。人間の体液はその濃度がpH＝7.4と弱アルカリ性に保持されている、と思うとプロトンも身近に感ずる。また原子1個の大きさは1Å（オングストローム）程度で非常に小さいけれど、極めて微量ながら質量（約1兆分の1g）がある。

一方〝気体である水素〟は水素原子2個が結合した水素分子。重さの実質は陽子がたった2個しかないので、他のどの気体よりも軽い。分子は、原子が機能する上での基本的な配列。水の分子も、原子同士の相互の電子を出し合って結合しており、人のDNA二重らせん構造も水素結合で保持されている。

他方水素分子を気体の分子運動面から見ると、1気圧25℃で、秒速当たりの平均速度は酸素の443m、窒素の474mに比し水素は1768m。従って時速換算で6365㎞にもなるので、新幹線の約30倍、国際線ジェット機の7倍、ライフル銃から飛び出す弾丸とほぼ同じ速度で飛び回っている！

＊

〝水素の時代〟という言葉が静かに進行しているが、各種技術と事業性の有無や可否を事前評価するシンクタンクであるＥＴＴ（創業支援推進機構）にも、目だって「水素」にまつわるテーマの評価要請が多くなってきた。

水素は燃やせば水になり安全無害。ほんの僅かだが幾つかの例を挙げれば、先ず①「純水素型燃料電池」。99・9％濃度、100％純度の水素で安全性が担保され、モバイル用充電器ビジネスを目指している。次に②「水制御学説」。活性水素水が人体の分解酵素の働きで活性酸素を無害化し健康に資するとし、不安定な活性プロトン（活性水素原子）の別の分子との水素結合検証に言及している。また③「ＮＭＲ（核磁気共鳴装置）」。磁場中に有機体を置き、各水素分子結合の状態等により共鳴する磁場の強さが変化、究極的な構造解析に資する装置ビジネスもある。更に④「シアノバクテリア（藍藻）」。ニトロゲナーゼにより窒素を活発に固定する際に水素を発生し、同時に酸素をも発生する藍藻作用で以前「シアノバクテリア農法改革」で触れた。また⑤「新型水素製造プロセス」。低温触媒下のエネルギー収支メカニズムが証明されれば、適用範囲は限りなく広がる。本件は用途によっては規制が厳しい先進国市場から離れＢＯＰ（ボトムオブピラミッド）といわれる3／4世界市場の途上国にビジネス視座をむける示唆も行ってきた。彼等を見ていると奇人キャベンディッシュの遠戚のようで、時に狂おしいほど。価値ある産業革新や創業起業は、欲によってでなく情熱によって創られる感を強くする。人間にとって時間と空間は有限であるが、発想は無限である。

No.9

『東工大・清華大合同プログラム』の先

『選択』39　2010年4月

東京工業大学と中国の清華大学・大学院修士課程合同プログラムがスタートし丸5年がたった。資料によればこの間、東工大から20名、清華大から64名、合計84名の学生が参加。2007年からは博士後期課程の合同プログラムもスタートし1、2期生からは相手大学の博士後期課程に入学した学生もいる、とのことである。21世紀に入り、日中関係は産業経済、人的交流等の各断面で結びつきをそれまで以上に強めている。『東工大・清華大合同プログラム』による学術交流は、双方の学生が刺激されることで国際化への相乗効果が期待され、関係をより深化させる人材育成の実験の場として堅牢な実を結びつつある。

両国の4月と9月の学期制度スタートの違いを乗り越え、修士課程はバイオコース、ナノテクコース及び社会理工学といった社会科学領域まで含め3コースがある。このプログラムの最大の特徴は、修士課程に参加した学生に対し、単位取得後は両大学から学位が贈られる『デュアル・ディグリー』制度である。学生の将来に様々な意味で大きな可能性を付与するもので、次世代の日中関係の良好な発展などにも影響して行くであろう。

馬齢を重ねているだけであるが、筆者は、東工大百年記念館で秋に清華大から留学生を迎える「ウェルカム交歓会」や、冬の2月には帰国する留学生を激励する「フェアウェル交歓会」に毎年のように呼ばれてきた。この合同プログラムは理論社会学の橋爪大三郎運営委員長、バイオマテリアルの権威で募金委員長でもある赤池敏弘教授を中心に推進されている。こうした交歓会では東工大から学長の挨拶があり、筆者は清華大側を代表する形で、未熟な中国語で挨拶をすることもある。特に清華大から東工大に留学してくる学生の日本語習熟度は目を見張るものがあり、赤池教授も強調されておられるように、将来に期待がもてる感を強くする。

＊

清華大学は日本のジャーナリズムでは理工系の中国一の名門と紹介される。これは解説として充分ではない。辛亥革命以来の長い歴史の中で〝総合大学〟であり、最高学府として〝中国の至宝〟であり知性の最強兵器なのである。現代中国のキリストと評する者さえいる朱鎔基元総理、現在の胡錦濤国家主席、次代の総書記といわれる習近平国家副主席など多数の国家要人や政府要人を輩出。いわば昔の旧東京帝国大学のような権威の象徴となっているのは中国で周知の事実である。

清華大の学生は、『科挙』にも譬えられる、13億人の母集団の中でトップの厳しい選考に合格した子供達。中国は4特別市と28程の省としての行政区分で構成されているが、清華大の入学定員数は夫々《それぞれ》の地域で異なる。北京市や上海市などは毎年約400名。しかし中国西部や辺境地域の入学定員は数名と極めて少ない。

一例であるが、内モンゴル自治区（定員5名）へ行ったことがある。フホホトから西北部のゴビ砂漠に至る中間地帯は、海抜も高く砂漠と言うより草原といった領域も広く、円形の移動式住居（ゲル＝中国語ではバオ）に住む遊牧民にも受験適齢期の子供達がいる。日常は親から習った騎馬技術を身につけ数㎞先の羊の総数を、500頭、1000頭などと言い当てる、裸眼視力5.0クラスの子供達。こうした中にも自分を自家発電したような利発な子供がいる。テキストという紙に書かれているものの奥も突き通すような眼力があるように思われた。彼らは親の示唆で大学入試直前に若干のこうしたテキスト類を与えられただけで受験する。それで長期間、受験塾通いしてきた北京や上海の子供と同じ点数を取り合格するのだ。また欧米のトップ大学院から引く手あまたの清華大生を日本に呼ぶのは至難の業といえよう。こうしたある種のハードルを越えて〝修士合同プログラム〟ができたことは意義深い。日本で学んだ邢新会《けいしんかい》教授ら親日派の協力も大きいが、募金委員長らの尽力は察して余りある。

2009年冬、この『東工大・清華大合同プログラム』に赤池教授の要請でゲストとして呼ばれ、すずかけ台キャンパス（横浜市緑区）で英語講演した。修士・博士課程の学生に加え、両大学の教授の方々も出席。

ところでここからは一般論なのだけれども、国際会議や欧米中国など海外の大学講義後いつも感じること。それは講義内容に対し中国側からは矜持高い教授連や学生から幾つか質問があった。「学問」とは〝学んでから問う〟ということでもあり、先ず受け容れ、消化しきれないものを聞けばよいと思う。

しかし日本側の質問はない。実力がないのではなく「目立ちたくない」とするエートスが支配的なのだ。少し穿《うが》っていえば、中国や欧米では、「自分が他人と違うこと」を強調しなければ生きられない国。かたや日本では「お上の下《かみ》」で生きる、といった価値観が支配的な国民。海外に「お上」はおらず、これからの日中関係や海外に伍してコミュニケーションをとるには、超えていかねばならないハードルのひとつであろう。子供の時から我国の教育の本質は「目立っちゃダメ」「競争しちゃダメ」……といった鎖国のDNAのような価値観を植え付けてきた。しかし学問でも、科学でも、技術でも、競争することで磨かれ、磨かれることで自分が高まる。自己が高まれば生き生きしてくる。目も輝いてくるのだ。こうした学術以外の視座からも本件の交流プログラムは国際化を発展させるひとつの実験場となっているように見えた。

＊

両校の合同プログラムのようなコンセプトの学術交流は、最近では医学部において、慶応義塾大学の安井正人教授らを中心に、スウェーデンのカロリンスカ医科大学、米国のジョンズホプキンズ大学医学部との日米欧を代表する医学部による鼎立学術交流の定在化が構想されている。東工大・清華大は理工系を基軸とした『デュアル・ディグリー』、慶応大・カロリンスカ大・ジョンズホプキンズ大は医学系を基軸とし、競争しながら協業する学術プログラムで日本の活性化を目指している。また大阪市大の藤田整名誉教授らによる大学の単位取得、卒業試験のあるべき姿への変革提言など、大学制度自体を抜本的に改革する指摘も真摯で非常に重い。

我国では教育審議会など多くの会議がなされてきた。にも拘わらず子供の可能性を引き出す機会平等ではない、いわゆる結果平等の金太郎飴教育の既成概念は一向に改まらない。誤解を恐れずに、かなり乱暴な言い方が許されるとしたら、「ああしちゃダメ」「こうしちゃダメ」との教育をしておいて、何故「競争に弱いのか」「勝てないのか」といった喜劇的な議論とアド・ホック（その場かぎり）の誌上談兵《しじょうだんぺい》が溢れている。

『東工大・清華大合同プログラム』が教育システム改革のためのひとつの実験とすれば、質の高い失敗も当然あるかもしれない。しかし従来からの我国のエートスから離れ、失敗に対する非難を恐れず責任者に相当の権限を与え、生き生きとした人材を輩出する既成事実を作ってしまい、その既成事実が過去の既成概念を打ち破っていく――。こうした方法でしか、この国は変われないのかもしれない。上等なプログラムが「鎖国のＤＮＡ」を変化させることに期待している。

No.10

ソ連ノーベル賞物理学者との閑談

『選択』19 2008年8月

ニューヨーク・タイムスが、「太陽の中心から放出される光より明るい光」として〝レーザー〟を報道したのは約50年前の1960年7月8日のこと。メイマン（Maiman）が、螺旋形フラッシュランプを用いたルビーレーザー装置を使い、世界で初めて発振（発明）に成功し、アインシュタインの理論を実証したときである。このレーザーは可視光であるが、以降長足の研究が行われ、赤外域から紫外域まで多種多用なレーザーが研究、開発、発振、実証されるようになった。炭酸ガスレーザーのように自動車産業用からメディカル用レーザーメスまで事業レベルとなったものも多い。

英語の頭文字だけを集めた合成語〝Laser〟は、20世紀最大の発明といわれ、直訳すると「放射の誘導放出による光増幅」となる。従来の機械エネルギーや熱エネルギー等とは全く異質の量子エネルギーなのだ。蛍光灯のような散乱光と異なり、分光器でも分光できない程の単波長（単色光）、光が殆ど広がらない指向性、エネルギー密度が極めて大きい集光性、光の重ね合わせや増幅も可能な干渉性――を有する〝人工光〟である。例えば直径10㎜のレーザー光を地上から月に向け発射させた場合、地球と月との距離36万㎞に対し、僅か30m程度までしか広がらない驚異的な光。レーザーはこのような連続発振の他、パルス発振ができるものも多く、1フォトン（量子）当たりのエネルギー密度を極度に高めた仕事もできるので、ビジネスの次元を超えてSDI（戦略防衛構想）や核融合といった方面にも応用される。以前一酸化炭素ガスレーザー装置の連続発振と製品化を研究していた時期があり、その原理を解明したソ連のレーザー科学者ニコライ・バゾフを知っていた。

*

モスクワを初めて訪れたのはソ連書記長ニキータ・フルシチョフが失脚し、ブレジネフに政権移行後の1969年。赤の広場では共産党のトップである政治局員専用車『ジル』や中央委員クラスの公用車『チャイカ』が猛スピードでクレムリンに消えていく光景を何度か目撃したことがある。1ルーブル＝400円の時代。当時中型乗用車としてタクシーに使用された『ボルガ』、暫くしてイタリアのフィアット社との技術提携による『ジグリ』、フランス・ルノー社との技術協力による『モスクビッチ』などが少量生産ながら普及したのを覚えている。『ジグリ』も似たようなものだが『モスクビッチ』はソ連で内製すると生産技術レベルが低劣なため評判が悪く、確か〝直ぐに止まって動かない〟というロシア語の意――という風評が流布していた。それでもスラブ民族にはモスクワ大公・イワン三世（1440～1505年）時代からの「世界を救う光と力はモスクワから」といった民衆の誇りのようなものが脈々と流れていたように思う。どの国家にもプライドがあり、逆にこの程度のプライドが無ければ国家とか民族とか呼べないのであろう。

この〝光と力〟といえば〝レーザー〟と短絡するほど、当時ソ連（現ロシア）科学アカデミー・レベデフ物理学研究所のレーザー研究は名を馳せていた。そこはモスクワ大学から至近距離にあった。行列と品切れとキャンセルが日常だったモスクワでバゾフの講演を聞きに行き、キャンセルにあったことがある。ロシア語を日ソ学院で少し学んで生意気盛りだった頃。バゾフはモスクワ物理工科大学で物理学を修め、レベデフ研に入所し「メーザー、レーザーの発明および量子エレクトロニクスの基礎的研究」で1964年ノーベル物理学賞を受賞した学者。レベデフ研には同時にノーベル賞を受賞したM・プロコロフもいた。彼はレニングラード大学でマイクロ波分光学を専攻した学者で、バゾフの兄貴分だった方である。

＊

モスクワで会えなかったバゾフに東京でお会いした。1992年のことである。その日、某サロンで当時財団法人工業開発研究所長・藤岡知夫（現東海大学教授）のご紹介でバゾフと対面した。彼はベル研のノーベル賞学者A・シャーロウやN・ブルームバーゲンと何やら「生き方」談義をしている最中だった。余談だがレーザー研究の日本の大御所のひとり、山中阪大名誉教授は、モスクワのバゾフ宅で学者何名かで生きる姿勢の議論となった旨、専門誌に紹介されていた。その時の結論として「ペシミストとはあらゆる事態を充分吟味し、承知の上で、将来の絵が描けない人。オプティミストとは必ずしも諸条件を完全に把握してないかもしれないが、未来に希望を持ち続ける人」となり、そのとき全員が後者だと主張したそうである。

モスクワで人気のある諺で、やつがれもその質朴さが気に入っている「ゆっくり生きる者は、遠くまで達する」(тише едешь, дальше будешь) についてワイングラスを傾けながらロシア人の人生観についてバゾフに聞いてみた。

諺のみだが忘却のロシア語で話したせいか氏は相好を崩し、プロコロフも微笑みながら輪に入ってきた。生きた化石みたいになったバゾフは英語で「貴方はオプティミストですネー」と第一声。一呼吸置いて「しかしこの諺には時間のdiscrepancy（ズレ？）のような概念が入ってない」と。——時間や空間など物理学者のメシの種のようなもの。少し飛躍し、未だ充分に解決されていない「時間とは何か」、「なぜ時間が流れるのか」ご高説を聞きたかったけれども、間髪を入れずレベデフ研では「少しでも早く歩む者が、遠くまで達する」と述べたのである。するとプロコロフが「トルストイは〝時間は存在しない。存在するのはこの瞬間だけである〟と言った」――と笑いながら物理学と文学を一緒くたに交ぜっかえした。「時間」論議に深入りすることもなく「生き方」談議に戻ったのである。そこでソ連の自動車になぞりスピードある「ジル」でなく、時間がかかる「モスクビッチ」の生き方も悪くないのでは？　と再質問。するとバゾフは親指を私に向けて「オプティミストは長生きする」と結んだのである。

――そのバゾフもプロコロフも既に他界した。人間は誰しも形而下の俗界に浮遊して生きている。浅学なやつがれなどは、せめて「楽しんで淫《みだ》れず、悲しんで傷《いた》まず」の平常心を心がけてはいるが、これがなかなか難しい。ノーベル賞学者も、芸術家も、民衆も、支配者も、後期高齢者も、おそらく心底の思いに変わりなく、最上の幸福とは、ただ、自分らしく生きることなのだろう。

No.11

科学・技術・工学の相違と「研究開発」

『選択』36　2010年1月

アインシュタインに「相対性」とは？　と質問した人に、彼は「可愛い女の子と公園のベンチで過ごす1時間は、1分にしか感じられないもの。ところが、熱いストーブの上に1分間座れと言われたら、まるで1時間にも感じられるはず。それが相対性というものです」と述べた。語彙のイメージや正しい認識は研究開発の促進に効果的である。

我々が日頃多用している、科学（Science）と技術（Technology）と工学（Engineering）。この三者は一体どこがどのように違うのか？——判然としないまま議論されていることが多い。私の知る限り、かなりの識者でも、科学と技術は何となく似たような同義語のように扱っているものが多い。広辞苑によれば、「科学とは、世界と現象の一部を対象領域とする、経験的に論証できる系統的な合理的認識」とある。また「技術とは、科学を実地に応用して自然の事物を改変・加工し、人間生活に利用する業」。更に「工学とは、基礎科学を工業生産に応用して生産力を向上させるための応用的科学技術の総称」。特に「科学」など、この説明ではどうもピンとこない。子供達もこうした説明では、科学や技術に距離を感じるであろう。合理的認識とは何か？

――等と考えるほどに全体が混乱し、しばし混然となり、ついには混沌とする。

＊

ターボ機械など重機械を扱う重厚長大品メーカー、時計や半導体など軽薄短小品を扱うメーカーにおいて「設計部門」の他、「研究開発」の現場を長年体験してきた。モノつくりを身体に刻み込んできたつもりでいる。しかし後者の「研究開発」などは失敗の連続であり、どうにか恰好のついたモノは僅かに1、2点で〝連戦連敗〟。一方、求道者あるいはエンジニアとして「設計は犯人探し、研究は恋人探し」と考えており、難題もある。〝モノ作り〟を業とするメーカーにおいて一般に「設計部門」は理系の花形の仕事。だからといって設計者が基礎理論に精通しているか否かはまた別の話である。一例だが遠心ポンプを設計するのに、流体力学の基礎理論を知らなくても設計できる。ガスタービンもしかり。また基礎科学を知ったからといって良い設計ができるとは限らず、基礎知識に欠落していても抜群にモノ作りが上手い人も多数いる。この事情は重厚長大の世界だけかと思っていたら、以前、量子力学に基礎を置く領域で「バンド理論を知らなくても良いダイオードは作れる」といった某大学教授がいた。事情の類似性に驚いたものである。

他方、設計者にとって流体力学や量子力学を知らなくて本当に良いのか？　研究開発者にとって流力や量子の基礎理論とは一体何なのか？　更に流力や量子論などに精通している者の大半は、一般に企業内では現場のタービンやダイオードを作ったこともない。——企業人としてどちらが優れているか？　企業の立場でどちらをどのように評価すべきか？　といった課題・難題がどのメーカーにも介在する。その後ＥＴＴ（創業支援推進機構）を創設し、様々な新技術、新規事業の立ち上げ前の技術・事業性評価を高い次元で執行してきた。ベンチャーや中小企業、大企業や国研の要請に基づき、各アイテムの基礎科学、応用技術、製品開発、市場性、事業性等について夫々第一級専門家5～10名程が異なる価値観で密度濃く審議する。事業面は無論、科学面、技術面、工学面などの様々な角度から深い知見が披露される。これらの判断を俯瞰すると、科学とは「真実か否か」の普遍性と、発見の大きさが問われる。これに対し、技術とは個別的事物に対し「適切か不適切か」が問われ、具体的な発明、特許の軽重が訴求される。一例だが「ＳＯＮＹ」に適しても「Panasonic」に適さない技術はある。だが科学にはそれがないのだ。科学は、どの会社にも誰に対しても普遍である。また工学とは、つまるところ経済性、単品やシステムの効率が高いか低いか、端的にいえば利益が出せるか出せないか？にその存在の意義と基準が見えてくる。その結果「科学・技術・工学の相違」が判然とするのである。メーカーでモノつくりをする人、研究開発に携わる方々は、自分の努力が報われるためにも、自分は今、科学を探求しているのか、技術を極めているのか、工学を追求しているのか、絶えず認識して事に当たる必要があるだろう。数年前、「研究・技術計画学会」に呼ばれ、こうした研究開発の判断や評価についてお話をさせて戴いた。

*

後日、講演時に聴講しておられた元NEC基礎研究所長・齋藤冨士郎理学博士から賛意とご著書を戴いた。題名は〝「研究」と「開発」を考える〟（NECクリエイティブ刊）。読めば読むほど考え方の波長、氏の研究開発現場からの深い洞察と謙虚な姿勢、及びイメージの明確さに対し目から鱗が落ちたものである。

本書を要約すると、「科学」とはラテン語のscientiaという由来より紀元前から意味が明瞭。科学とは〝正しい知識を追求すること〟であり、その追求に基づく発見は、普遍的で誰に対しても、どの企業にも正しい。しかし「技術」は異なる。「技術」とは、ある人、ある企業にとって好ましい事物が、他の人、他の企業にとって必ずしも好ましい事物でないこともありうる。即ち、技術は、科学のように〝正しいか正しくないか〟〝真実か否か〟ではなく、〝好ましいか好ましくないか〟〝適するか否か〟の基準に基づき、もはやそれ以上の選択の余地が無い、ぎりぎりの判断を求められるもの。

科学・技術・工学の相違と研究開発

Item ＼ Category	科学（Science）	技術（Technology）	工学（Engineering）
① 判断する基準	真か／非真か	適か／不適か	得か／損か
② 主たる認識能力	悟性（力）	判断力	精査力
③ 性格付け	普遍性 一般性	個別性 具体性	効率（性） 経済性
④ 目指すもの	発見 （論文）	発明 （特許）	最適化 （論文・特許）
⑤ 代表的な人物例	A・アインシュタイン	T・A・エジソン （発明王）	H・フォード （自動車王）
⑥ 研究開発の成果とマネジメント	最終的には、何時、何処で役に立つかどうかは分からない	明確で具体的な目的と取り組む	工学研究の成果はより高い利益をもたらすことが期待される

従って両者は相互に関連するものの「それぞれが似て非なるもの」なのである。技術は科学のように普遍性や一般性は問われず、徹底した個別性や具体性が追及される。だから科学の研究開発は「何の役に立つのか」を追求することは本来筋違いなのに対し、技術の研究開発は「何の役に立つのか」に対し明確に答えられねばならない。技術の成果である発明・特許は「正しい」ではなく「好ましい」を主張する。もし「正しい特許」たる特許明細に於いて「紛れも無い真実である特許」を書こうとしたら容易には書けないし、不可能であることは明らかである。何故なら真理とはそもそも全ての人々が普遍的に利用できるものだから、「相対性理論」のように初めから特許にならないのである。工学と技術も峻別可能。即ち工学は効率

向上、即ち経済性に係わる。経済性とは結局のところ利益が出るか出ないかを問題にすることであり、工学とは損得に係わっている。機械工学でも電気工学でも、また最近の金融工学などでも、最終的に問題とするのは「効率を高めるための学問」或いは「より効率的に物事を実現していく方法を見つける為の手法」といえる——と述べている。齋藤博士の作表を若干タッチして研究開発をイメージしてみた。即ち一般の方々にもより分かり易くとの思念より、同時代の20世紀初頭に生きた代表例として、科学に対しアインシュタイン、技術に対しエジソン、工学に対しフォードを当て嵌めてみた。関心のある方々のご参考の一助になればと思う。

No.12

遊びと仕事、哲学する時間と空間

『選択』48　2011年1月

偶然に偶然が重なって南インド洋の島モーリシャスで1日過ごしたことがある。15年ほど前。殆どが珊瑚礁でできているかのような美しさで、思いもかけない休日となった。ここは大航海時代にポルトガル人によって発見された無人島。その後オランダ人によりモーリシャスと名付けられ、フランス、イギリスの統治時代を経て独立した。面積はルクセンブルクより小さい。日本の大使館や領事館もない。公用語は英語だが日常語はフランス語といったバイリンガルで、長い間の植民地時代の影響からか、至る所にヨーロッパのような洗練されたコスモポリタン的風景があった。『トムソーヤの冒険』で一躍成功したが、金融投機の失敗で財産の殆どを失った作家マーク・トウェイン（本名サミュエル・L・クレメンス）は、お金を稼ぐ目的で世界中講演旅行に出かけることになったらしい。途上、この楽園に来たとき「神はモーリシャスを作り、それを真似て天国を作った！」と語った――との逸話が真実味を帯びて伝わってくる。

日本人である筆者の日常性の中でこのような南半球の偶然は又とない。首都ポート・ルイスといった予想される喧騒を避け、北西部のかなり高級なリゾートホテルに世話になった。湾が砂州により沼湖化された珊瑚礁地形というか、所謂ラグーンに突き出た所にある神殿風ホテル。紺碧の海の絶景も極まる。広々とした幾つかのプールも熱帯植物に深く囲まれ点在し、開放的な中にも重量感のある思索的な雰囲気があった。一般のフランス人にとり、この島で休暇を過ごすことが或る種のステータスになっている、とのホテル・ボーイの弁。ごく普通のフランス人達、日本とは比較にならない競争社会、格差社会の中で、寛容と靭性に基づいた生き方をしている彼等は平均2〜3週間滞在していくそうである。

プール・サイドでいつまでも読書をする紳士や婦人。さざ波の音しか聴こえない中で、フランス語が時に行き交う周辺では、俄《にわ》か作りでないホスピタリティのなせる業か、婦人や若い女性達は、殆ど形ばかりの水着姿で胸を被うこともなく、裸のままタオルを巻きつけ読書、読み疲れると時に泳ぎ、また太陽に体を預け読書、といった時間と空間に身を委ねていた。サイドテーブルにはシャトーブリアンやスタンダールといった詩人や作家の書物。人間には、彼等のようにある時間と空間の中で、日常の渇きを顧《かえり》み、思索することが、たぶん必要である。

*

一方、フランス北部の城塞の街サン・マロー(Saint-Malo)。ブルターニュ半島の付け根にあるモン・サンミッシェルの西20㎞ほどに位置し、海岸の満干潮時の水位差が13mにもなる世界でも有数のエリア。以前世話になった同年輩のフランス語同時通訳アンドレ・マナルド氏はここに住んでいた。彼はディスカールデスタン、ミッテラン、シラクの3代に亘るフランス大統領の身辺付き日英仏通訳であり、先進国首脳会議の度に参画、現在も国際会議の同時通訳を自分の私的時間を妨げない範囲で選択的に行いながら、今はニースで数カ国語通訳辞典の編纂に取り組んでいる。サン・マローは先の詩人シャトーブリアンの生地でもある。彼は浜辺Plagesillonというトポスに拘り、城壁バルコニー48㎡付きの部屋を借り、米国人妻のジェニファーと10年ほど住んでいた。秋になり観光客も消え、干潮時には約4㎞の砂浜と化す。すると浜辺全体が彼等夫妻専有地となるのだ。――また満潮時には海草が城壁を越え、バルコニーにまで入り込む自然が気に入っていた。

平均的日本人とほぼ同等の収入であり、日常はチーズとハムとワインだけの日々。テラスに佇み自然の水位の変化、時間と空間の相互変化を毎日愉しんだそうである。或る日は全海面が太陽光で照らされる幻想的な情景の中、

彼女「あの白雲は雪よりも白いヮ」

彼「……」

彼女「海は慈しみの鏡のようネ」

この世ではっきりしていることは時間が非可逆であること位だが、この2番目の彼女の言葉まで相当時間が流れた。また或る夕暮れ時の黒色の静寂な海に佇み「ハリウッドのような真夜中の音」――。意味を推察すべく長い沈黙の中、満ちた潮が城壁に跳ね、ワイングラスに海水滴が入るような彼の日常の告白を、ドビュッシーの音楽のように聴いた。

きっと時間は実数で空間は虚数なのでしょう？ と私への質問――。存在の確からしさを確かめるといった彼等の生き方を見ていると、「おカネがなくても寛容で豊かなフランス人、おカネがあっても不安で貧しい日本人」の形而上的落差が浮かぶ。彼と大統領だったミッテランやシラクとの、時にゴシップワイズな接触の日常性より、彼の〝考えたように生きたい。でなければ自分が生きたようにしか考えられなくなる〟と主張する、哲学的な思念の方が遥かに重く琴線に触れた。

＊

趣味で読んでいる量子論では、時間は実数で空間が虚数であることは半ば常識である。或る空間における物理的時間と哲学的時間は必ずしも同じではない。

些か老境にさしかかっているのに毎日が壮年期のような馬車馬の如くの日々が続いている。余熱が残っている内にと、半年前の初夏2泊4日、数年ぶりで休暇をとり、上等な音楽会に身を浸すべくウイーンへ行った。ここには音楽をする、あるいは聴く空間がある。東京発同日夜ウイーン着。翌朝11時、年に10回ほどしかないウイーン楽友協会でのウイーン・フィルの演奏会。A・パッパーノ指揮でモーツァルト、シベリウス、ショスタコービッチといった、私にとっては食事の前菜のような交響曲や管弦楽を愉しむ。3時頃の遅いランチ。午後5時半からウイーン国立歌劇場において、主菜に相当するワーグナー楽劇『ローエングリン』を現代最高の指揮者のひとりであるレイフ・セーゲルスタムで聴いた。感動の質と量が自身の中で充満・昇華され、拍手鳴りやまず終演は深夜。ホテル着は午前様となり、翌朝8時ウイーンを離れ帰国した。この間ウイーン滞在僅か36時間。

帰国後の翌日は赤坂の事務所で執務していた。窓から霞が関を見れば、経産省のビル等は深夜でも煌々と明かりがついている。そこには物理的時間はあるが、哲学的時間はおそらくないのであろう。因みに、行きのフライトの隣席は偶然にもドイツ人指揮者エーリッヒ・ヴェヒターー。日本公演を終えた帰途であり、到着まで『パルジファル』の分厚いスコアを見ていた。帰りはCAC40のフランス大企業役員。夜を跨《また》いだせいもあるが仕事の話は無く、タヒチでの1

カ月間にわたる家族との余暇の一部を溜め息まじりで聞いた。

戦後GHQ最高司令官として乗り込んだマッカーサーは滞在後しばらくして日本人を評し、「12歳の少年のようだ」——と述べた有名な言葉には、成熟度に関する将来の可能性への「期待値」と「疑問符」が混在しているだろう。イメージにすぎぬが、フランス人はあたかも遊びの合間に仕事をやっているかの如くなのに、国が沈まない。日本人は死ぬほど仕事をしているのに、国が沈んで行くように見える。何故なのだろう。

エピローグ

あとがき

たしか芥川龍之介だったと思うけれど、「言行一致の美名を得るには、先ず自己弁護に長じなければならぬ……」と痛烈に皮肉った作品があった。

今の世の中を見渡すと、これに該当するような人が溢れているのに気づく。壮年期を過ぎると「何をしたか？」というより「どんな生き方をしたか？」に価値や関心を持つようになり、膝を叩いて共感したくなるような人間の生き方に時に出会うことがある。

そんな生き方って、どんな生き方だろうか？

未だ求道者の道半ばにあるのだが、版元の保川敏克社長より本書を手にした次代を担う若者にメッセージをとのこと。僭越ながら期待を込めて一言触れて、筆を擱くこととしたい。

先ず自律的な視点。仄聞《そくぶん》であるが、〝健康であることはむしろ欠点である……〟といった演繹的で、重たい言葉を考えてみる。健康に留意することは無論、大切なことには違いない。しかし唯明るいだけの人生、翳りの無い人生では、人情の機微や、時にガラスのようにすぐに壊れてしまいそうな人の心の内側など、繊細な部分をスッ飛ばして見ることしかできない人間になってしまう公算が大きい。だから大病を患い、トコトン絶望することも、人生には必要かもしれない。実社会の中の左遷なども同じである。このような時間を刻むことでシッカリ腹が座り、「高い生き方」への開き直りも出てくるのであろう。

次に他律的な視点。慈悲溢れる心優しい母親のもとで育てられた人と、そうでない人。癌になる人、ならない人。大震災に会う人、会わない人――といったように、現世は誠に不条理といえば不条理に満ち満ちた世の中である。もともと不公平なのである。この下で、生きること自体が修行の場と心得、修行の材料として各人それぞれに固有の「不条理」が天から与えられていると考える。それを「是」と受け止め、不平をいうのではなく愉しみ、自己研鑽の機会とし、その上で自己の条理に叶った生き方ができるか、否か？――ここに人間の出来不出来、人生の充実度に関する達成未達成が依存してくると思われる。

いつの時代でも俗界は騒然としている。その最たるものは戦争である。歴史が証明しているように、人間はその時々の為政者、支配者に〝翻弄されて〟生きてきた。彼らは戦争を開始する時、この世には「命より大切なものがある」とし戦いを始め、暫く後「命ほど大切なものはない」とし戦いが終わるのだ。そんな為政者の下で沢山の人々が死に、重傷を負い、個々の悲劇が始まり尾を引いていく。今の政治も本質は同じであろう。

又日本人は外国の人々に比較し、余りに官尊民卑の意識が強い。即ち自分より上に国があり、政治家や役人がおり、その下に個人や家族があると思っている人々が多い。我国には欧米のようなエリート教育は存在せず、押し並べて金太郎飴教育が徹底しているため、政治家と各個人のレベルに殆ど差異がないのに、何故か大多数が、政治家や役人を「上の人」と考えてしまう傾向が強い。この反照として、公僕である政治家や役人にとり、国民を御し易い、かなり楽な国家、世界ともいえる。この周辺のエートスとギャップについて『デンマークの民度の息遣い』『インド人のまなざしと言葉〝ミストレス〟』などに認《したた》めた。

この環境下、日本人は世界に比し、武士道精神とでもいったDNAが身についていることを各所で述べた。貧しくとも賤しくない、といった素晴らしい倫理観、清潔感、美意識などがある。外国では教育がなければ獲得不可の優れた感性を我々は持っている。左内の著『啓発録』の中で〝世の大半の人が何事も成し得ず生涯を終わるのはその志が強く逞しくないからである〟などと僅か15歳で述べられるような人物は海外にはいない。

これらの感性と価値観を持った上で、「自己の頭で考え、賢い意思で行動」できれば、左内に準じた生き方ができ、自分と上手に付き合うことができるだろう。米国で不法就労等を繰り返し、遂に世界的登山家となった日本人、電車の運転手や車掌をしながら、遂に世界的指揮者になった日本人について『アンカレッジ空港の回廊にて』を読まれたと思う。

挑戦する生き方の方策のひとつとして、テレビや新聞を控えめにする。或いは距離を置いて、離れる。これらを毎日眺めていると昆虫や鳥類のように行動が一元化し、「私」の中の「個」が滅びてしまう。我国はサウジアラビア等から見れば垂涎の的のように、全方位の美しい海や緑々した山々がふんだんにある。だから例えばテレビや新聞の代替として、浴びるほど書を読み、他者の人生の輝く部分を自己に注入し、自分でよく思料し、たまに海をじっと見に行く、山を見に行く――といった日常でありたい。その上でできれば、タコ壺のような狭い狭い日本から外国へ出、世界を見聞すること。そうしたプロセスの中で好きなことや自己に適したことを見つけ、人生の目標を定め、志を高め、磨く。

それが結局、個人の幸福の攫取《かくしゅ》、そうした若者が増えることで「日本の季節」が到来、世界から尊敬の獲得し、ひいては次代エンジンを創るの原動力になると思われる。

本書の上梓に際し、先ず、『礼記《らいき》』の聘義《へいぎ》に見えるような温潤而沢《おんじゅんにしてたく》の精神的背景を頂戴した日東電工株式会社・山本英樹元会長、及びトヨタ自動車株式会社・豊田章一郎元会長に敬意を表します。そして本書のトリガーとなった選択出版株式会社元編集長・恵志泰成氏（現・株式会社シャイカンパニー代表）、本書の書籍化に際し誠心誠意働きかけを戴いた三井住友銀行元常務取締役・古瀬洋一郎氏（現・元氣農業開発機構理事長）、氏の示唆で鋭意最適な出版社を探索賜わり、企画編集作業にも尽力戴いた山﨑英樹氏、また図表作成を快く引き受けて戴いたＥＴＴの上野淳子さん、最後に自社の出版理念の下、真摯な対応を戴いた保川敏克社長に心からのお礼を申し上げます。

また最後の最後に、世話になりっぱなしの荊妻《けいさい》にも感謝の意を表します。

東京つくし野にて　　紺野大介

筆者の原則的な生活信条

bene qui latuit,bene vixit

よく隠れし者は、よく生きたり！

【意味】

世の波に浮かび、風に消える声をたてる必要はない。
海深く沈み、波を起こすことが大事である。
誰にも知られないで、誰もが動かされるような。

ラテン語の諺：by Ovid (43BC ～ 17AD)

紺野大介（こんの　だいすけ）

1945年2月、満州奉天市生まれ。
東京大学大学院工学系研究科修了、工学博士。旧ソ連モスクワ大学数理統計研究所遊学。（株）荏原製作所統括事業本部長を経て、セイコー電子工業（株）へ招聘され取締役CTO就任、関係会社数社の会社管掌役員兼務。'00年公益シンクタンク創業支援推進機構（ETT）を創設し理事長&CEO就任。この間、日本機械学会論文審査委員、通産省工業技術院大型国家プロジェクト作業部会長、新潟市長顧問など兼務。'94年より中国清華大学招聘教授、'02年日中科学技術交流協会常務理事、'08年北京大学客座教授、'09年政府（経産省）創設の国策会社（株）産業革新機構初代取締役・産業革新委員、'14年（社）次世代エネルギー研究開発機構CEO、'15年同志社大学トップセミナー医心塾定例講師、'16年（財）松下政経塾非常勤講師など歴任。現在（社）日本藍藻協会名誉会長、米国シリコンバレーDimaag-AI,Ltd役員。著書に橋本左内『啓発録』、吉田松陰『留魂録』、佐久間象山『省諐録』の幕末三部作英完訳書（錦正社）、朝日選書『中国の頭脳　清華大学と北京大学』（朝日新聞社）、『音楽と工学の狭間で』（新樹社）など。

新装版 **民度革命のすすめ**

2023年5月16日　初版第1刷発行

著　者　紺野大介
発　行　フォルドリバー
〒104-0031
東京都中央区京橋2-7-14-415
TEL：03-3576-0090
発　売　株式会社 飯塚書店
〒112-0002
東京都文京区小石川5-16-4
TEL：03-3815-3805
FAX：03-3815-3810
https://izbooks.securesite.jp/
印刷・製本　精文堂印刷株式会社

ISBN978-4-7522-8016-3